JN082776

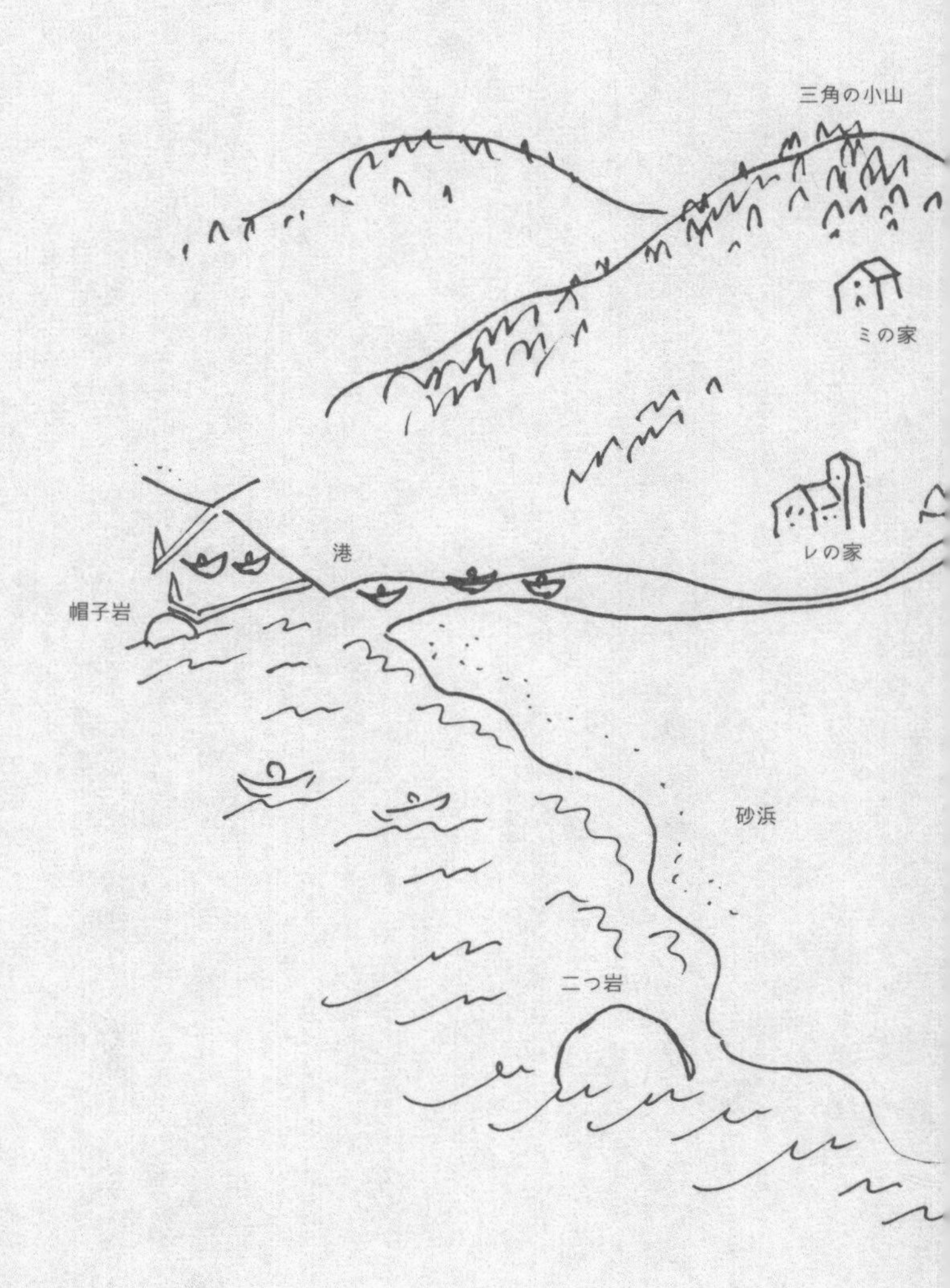
三角の小山
ミの家
港
レの家
帽子岩
砂浜
二つ岩

ファおじさん物語

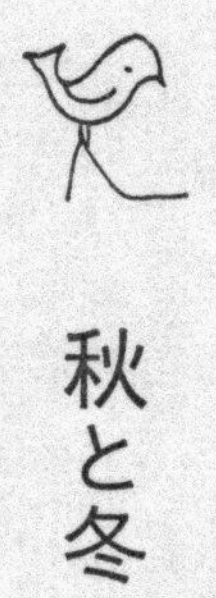

秋と冬

未知谷

――目次――

道草（10月初旬のスケッチ） 5
遅刻（10月初旬のスケッチ2） 23
飛行機雲（10月中旬のスケッチ） 28
空の呪文（10月中旬のスケッチ2） 40
川の流れ（10月下旬のスケッチ） 54
初雪（11月のスケッチ） 67
朝の会話（11月のスケッチ2） 87
水平線の雲（11月のスケッチ3） 95
たき火（11月末のスケッチ） 105
吹雪（12月のスケッチ） 113
しりもち（12月のスケッチ2） 118
クリスマス（12月のスケッチ3） 127
夢（大晦日のスケッチ） 167
時（大晦日のスケッチ2） 176
新年のあいさつ（元日のスケッチ） 182
夕べの会話（1月のスケッチ） 188
ガラスの絵（1月のスケッチ2） 197
光る丘（1月のスケッチ3） 214

主な登場人物

レ　小学生

ラ　レの姉、中学生

ファ　レとラの叔父（おじ）

ミ　レのクラスメイト

ル　青い小鳥

ファおじさん物語　秋と冬

道草（10月初旬のスケッチ）

朝はもうすっかりすずしく　ちょっと
肌寒いくらいです。
「ねえさん　いつも　空　見てる
ね」
「うん」
ラは　いけがきの外でいつものよ
うに　空を見上げていました。
レも　空を見上げました。
「どうして　空　見てるの？」
「ほら　空　毎日　だんだんと違

うふうに変わってる」

「ふうん　なんだか　そういえば夏の空とは違うね……どうしてかな」

「うん　どうしてかしら」

レは向こうから友達がやって来るのを見つけて　そちらの方に駆(か)けて行きました。

そして　もう一度　ちらっとうしろをふり向くと　ラはまだ　ぼんやり空を見ています。

「……ねえさん　遅刻(ちこく)するよ」

レは呼びかけました。

でも　ラはその声にも　気付かないようでした。

レはそのまま　友達と歩いて　曲(まが)り角で　もう一度ふり返ってみました。

すると　もう　ラの姿はありませんでした。

レはちょっと　笑いました。

＊

レはときどき　遅刻します。
でも朝ねぼうだからではありません。むしろいつもより早く家を出ると　かえって遅刻してしまうのです。

あんまり時間があるので　友達と途中　寄(よ)り道をするからです。水たまりがあれば　のぞき込まねばなりませんし　紙きれが落ちていれば何だろうと確かめねばなりません。くぎがおちていれば　一通(ひととお)り〝じんとり〟をしなくてはなりません。

　他にも　いろいろとすることがあって〝学校へ行くこと〟がいちばん最後になってしまうのです。

　そんなふうに　今朝も　何かと寄り道をして　どうも遅刻しそうです。

　やっと校門のところに来たら　もう他の子供たちは誰もいません。

　レは友達と二人で　あわてて校舎(こうしゃ)に駆(こ)け込みました。

＊

　先生にしかられるぞと思って　そっ

と教室の戸を開けると　教室の中は妙にがやがやとしています。
おや　と　教だんを見やると　担任の先生は　どこにもおられません。
どうも　先生の方が　遅刻らしいのでした。
レは　ほっとしたような　なんだか損をしたような気持になりました。
それから　レは　おや　と教室を見回しました。
ミも遅刻らしく　姿が見えませんでした。

*

二時間目が始まる頃に　ようやく先生はやって来られました。
でも　出席をとる時になってもミはやって来ません。
ずい分　長い遅刻だな　とレは思いました。
二時間目が終わっても　三時間目になっても　ミは来ません。
とても長い遅刻だ　とレは思いました。
給食が終って　最後の授業が終っても　ミは来ませんでした。
とうとう　一日遅刻しちゃうぞ　とレは思いました。
そしてみんなで先生に〝さようなら〟を言うと　やっとレはミがほんとうに今日　休ん

だんだと思いました。

廊下を歩きながら　ミが休みなんてめずらしいなあ　とレが思っていると　うしろから担任の先生がレのそばにやって来て言いました。

「レ」

「はい」

レは先生がなんとなくかたい表情をしているので　かすかにはっと思っていると　先生は言いました。

「レ　今日は　寄り道して帰りなさい」

「え？」

レは　先生が　まじめな顔でおっしゃるので驚きました。

「……はい」

「ミの家に　寄り道して　帰りなさい」

そう言って　先生は　給食のパンとプリントの入った包

みをレに渡しました。
「はい……」
レがまだ少し驚いて
いると　先生はもう行
ってしまわれました。

＊

レはいつも寄り道をする時に
通る　山の中の林を抜(ぬ)けて行きました。
そしてそこで木の実や　あかくなった葉をいくつかひろいました。
けれどもレは　そこでぐずぐずしていた訳ではありません。
レの足どりは　いつもより　少し早めでした。
ところが　ミの家の屋根が　木々の向こうに見え始めると　レの足は急に遅くなりました。
どうしてだろうと　レはなんだか自分でも不思議(ふしぎ)に思いながら　ミの家の方にのぼって
行きました。

＊

レはミの家の玄関の戸に手をかけ　ふとそのまま　庭をまわって縁側に行きました。

するとやはり　そこにミが　こしかけていました。

でも寝間着姿でもありません。

「ふうん　ミ　風邪ひいたんじゃなかったの？」

するとミは　レの方を見てかすかに　笑いました。

「……きっと　今　レが　ここに来るような気がした」

「ふうん　どうして？」

「うん　なんとなく」

「ふうん」

レも縁側に腰をかけて　林の中でとって来た木の実や紅や黄色の葉をとり出して並べました。

ミは　それを黙って　眺めました。

「これ　ミにあげるよ」

「ふうん　ありがとう」

ミはかすかに　にっこりしました。

レは　うつむいているミのよこがおをちょっと見て縁側の下のしき石を足で　とんとんとん　とたたきました。

そして　ランドセルの中から　先生にあずかったパンの包みをとり出して　ミのそばに置きました。

むこうの谷の奥（おく）で　風がかすかに鳴っているのが聞こえました。

どこかで　ヤマガラも啼（な）いています。

「ミ　何か　あったの?」

「うん」

ミがしばらく黙っているので　レも黙っていました。

「今朝（けさ）ね　父さんが入院したの。先生がお手伝いに来て下さったわ」

「……ふうん」

レは驚（おどろ）いて　ただ　それだけ言いました。

レはまたしき石を足で　静かに　とんとん　とたたきました。

「悪いの？」

「お医者さんは　心配しなくてもいいって」

しばらく二人は黙って　山の木々が風にゆっくり葉をゆらすのを見ていました。

「あそこ　あんなに風があるのに　ここはこんなに静か」

「うん　そうだね」

レはまた　足をとんとん　とならしました。

「……ミは　これからこの家に　ひとりで居るの？」

「ううん　きっと　おばさんの家にしばらく行くわ」

「おばさんの家　この近く？」

「となりの町」

そこは汽車で少しかかります。

レはしばらく黙りました。

「何度も行ったことある？」

「ううん　はじめて」

「ふうん　そう……」

二人は　庭の中の同じ白い花をみつめていました。

レは　しばらく考えて　言いました。

「僕　こう思うんだ」

ミが黙っているのでレは続けました。

「ミ　僕の家は大きいから　きっと
……」

「ううん……それはきっとだめだわ」

「そんなことないよ。安心していいんだよ。僕　今すぐ話して来るね」

するとレは急に立ち上がって　もう駆(か)けて行ってしまいました。

＊

「ただいま」
ラが学校から帰ると　玄関に　レの右のくつが　ひっくり返って　ラのサンダルの上にのっかり　左のくつが　傘立(かさた)ての中に入っていました。
ふうん　レ　何　急いでたのかな

ラは　笑って　それを元に戻しました。

*

夕食のあとで　ラが部屋に戻ると　レが階下で　お父さんとお母さんに　何か　いつまでも言っているのが聞こえました。

ラは　部屋のドアを開けて　耳を澄ませました。

そしてラはしばらく　そうやっていました。

やがて　レが階段を上って来たので　ラはドアをしめようとしました。

でも　ふと思い返して　ドアを開けたまま自分の机につきました。

レの足音が　ラの部屋の前で止まりました。

ラはふり向かずに机に向か

って　本を読んでいました。
それから　レは　自分の部屋に入ってドアを閉めました。
ラがもう一度　廊下から見ると　レの部屋には灯りもついていないようでした。
（もう　レ……寝ちゃったのかしら……）

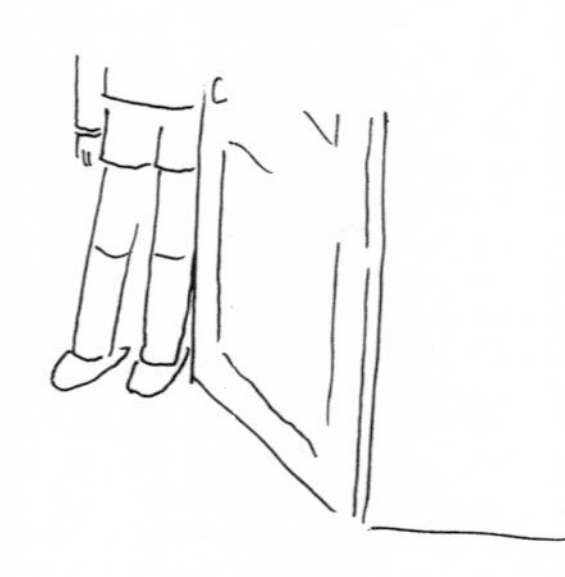

＊

ラが灯りを消して　眠りにつこうとすると　レの部屋の窓の開くのがきこえました。
ラもふと　起き上がって　窓を開けました。
外は冷たいけれど　とても気持のよい空気でいっぱいでした。
「レ」
「……何？」

「もう眠ったのかと思った」

「うん……今夜……雲がないのに真暗だ」

ラもレも　お互いの顔がよく見えませんでした。

「ほら　そこのいつもの　街灯が切れているからだわ」

「ふうん……」

くるみの木の向こうに　街の光がぼんやり見えました。　レは寒そうに　鼻みずをすすりました。

「……ねえさん……ぼくはきっといいと思ったのに」

ラはかすかに　にっこり笑いました。

「うん……私は　きっとだめだと思った」

「ふうん　どうしてわかったの?」

「なんとなく」

「でも　うちには　余っている部屋だってあるのに……」

「うん……お父さんやお母さんのような大人は　きっと何かわか

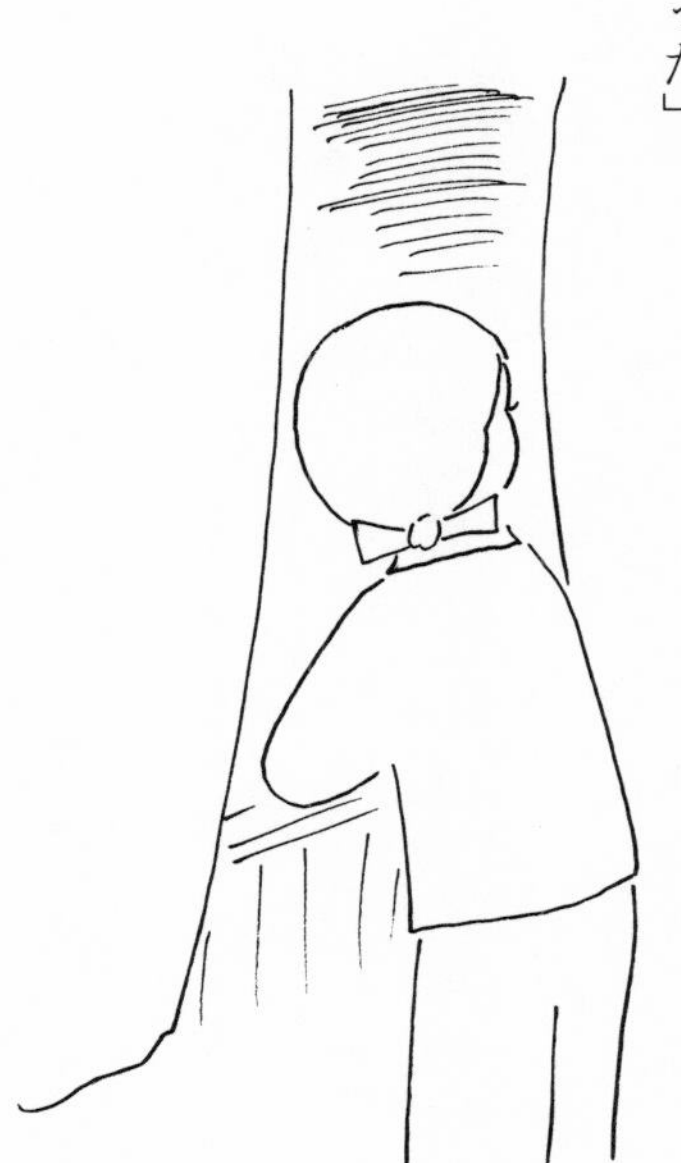

らない力が働くのよ」

「どんな力？　お金とかそういうの？」

「ええ　それだけじゃないけれど　いろいろね」

「みんなそう？」

「そうではないわ。その力の働かない人もいるわ」

「ああ……そうか……」

レは元気よく鼻をすすりました。

「僕すっかり忘れていた　その人のこと」

「ええ　レはすっかり忘れてるわ　その人のこと」

暗闇の中の　見えない顔をみつめて　二人ともにっこり笑いました。

＊

次の日　レは朝早く起きて　もう学校に出かけました。
いつもの朝食の時には　とっくにレは出かけていたので　お父さんもお母さんも驚きました。
ラはそれを見て　ただかすかに　にっこりしました。

*

ミが　その朝　ランドセルをしょって　いつも通る林の近道を歩いて行くと　くるみの木もないのに　くるみが　道の真中(まんなか)に　落ちていました。

ふと　それをひろうと　目の前にもう一つ落ちていました。

それをひろうと　また目の前に　ひとつ　落ちています。

おや　と思って　立ち上がると　くるみは　点々とつながって　落ちているのです。

誰(だれ)かが落としたのかしら　と思って　ミはそれをひろいながら　たどって行きました。

すると　いつの間にか　いつ

もの道をはずれて　大きなかしの木のところにやって来ました。
見ると　そこに　レが立っているのでした。
レは黙(だま)って　にっこりしました。
ミもかすかに　笑いました。そうして　ミはなんとなく　レが何か良い知らせを持ってきたのだとわかりました。

＊

ミはその夜　昨夜とはちがって　ぐっすりと眠りました。
今夜からしばらくミは　ファおじさんのアパートに居(い)ることになったのです。

＊

やがて　ミのベッドのへりに　小鳥が止まり　眠っているミを見おろしました。

そして小鳥は　となりの部屋の　ファおじさんの机の上に止まりました。

「今晩は　ファ」

「やあ　ル　夜　出歩いて　あぶなくないかね」

「気をつけているわ　でも　人間よりはあぶなくないわ」

「ふうん」

ファおじさんは　パイプに火をつけました。

ルが言いました。

「レがね　さっきやっと家に帰ったところ」

「また　お母さんにしかられたんだね？」

「お父さんにもね」

「そうか」

「だって今日　レは今までで一番長い道草をしたんですもの。朝早くからファのアパートに来て夕方にもミの荷物を持ってこの丘に来て　それから……」

「そうだな　レは罰（ばつ）として　夕食はぬきだな」

「ええ　もちろん。でも　レはめずらしく一言（ひとこと）も　言訳（いいわけ）も口答（くちごた）えもしなかったわ」

ファおじさんは　窓に寄（よ）って　パイプの煙を外に出しました。

「もうずい分外は　寒くなったね　気をつけたまえ　ル」

「ええ　ありがとう　ファ」

小鳥は　丘の林の中に姿（すがた）を消しました。

遅刻（10月初旬のスケッチ2）

ファおじさんは　いったい……

ミは次の朝早く目を覚まし　ベッドの中で思いました。

……何をしている人なのかしら……きのうの夜は　机に向かって　何かしていたみたいだけど……

ミは天井（てんじょう）や壁（かべ）を見回しました。

そこは　ミの家より　もっとみすぼらしいアパートでした。

でも　それは　よけいなものが

何もないから　そう思えるのかもしれません。

ミは起き上がって　となりのファおじさんの部屋をのぞいてみました。

でも　ファおじさんは　どこにもいませんでした。

……もう　どこかへ出かけたんだわ……

ミは本棚（ほんだな）をのぞきました。

そこには本は少ししかなく　かわりに石ころや枯（か）れた葉やらが　たくさん並んでいました。

ミはなんだか　レの部屋を思い出しました。

レの部屋はもっときれいですが　並んでいるものは　どことなく似ています。

ミはちょっと微笑（ほほえ）みました。

……あら　これは　机じゃないんだわ
ミは　本棚のとなりの　まるで机みたいにみえるものの前に　こしかけました。
ふたを開くと　それは　古めかしいピアノでした。
ミはひとつ　ふたつ　小さく鳴らしてみました。
それから　もっともっと鳴らしてみました。
すると　ふっと偶然に　きれいな和音ができました。ミはそれにじっと聴き入って　そのまま手を止めました。
そしてゆっくり立ち上がり　窓に寄って　下を見おろしました。
ここはちょうど　ミの山とは正反対の方から町を見おろせました。
ミは　父さんのいる病院はどこだろう　とさがしました。
あのへんかな……それとも……
ミはしばらくそうしていました。
するとそのとき　ピアノが鳴り出しました。
ミは　はっとしてうしろをふり返りました。
いつのまにか　そこにファおじさんが　こしをかけて　静かにピアノを弾いていました。
ファおじさんは　そのまま言いました。

「ミ　朝ごはんにしようか」

「はい」

ミはうなずいて　ちょっと鼻をうごかしました。

なんだかいい匂いがします。

あら……

テーブルをみやると　いつの間にか朝のトーストやミルクやらがのっていました。

……いつの間に出てきたのかしら……

ミは驚いて　ファおじさんを見ました。

ファおじさんは　静かにピアノを弾きおわり　立ち上がりました。

ミはちょっとためらったあとで思い切って言ってみました。

「あの……そのピアノ　お料理(りょうり)の出てくる魔法(まほう)のピアノかしら?」

ファおじさんは　頭をよこにふって　かすかに　にっこりしました。

「いいや　これは弾くと　お腹の空(す)けるピアノだよ」

「ふうん」

ミも笑いました。

すると　ミは自分がほんとうに　とてもお腹が空けているのに気付きました。

＊

「おはよう　ファ」

「やあ　ル　ミはちゃんと学校に遅れずに行けたかい？」

「ええ　でも　レは遅刻したわ　ミを待ってて」

「ふうん　どうしてだい？　ミを待っていたなら遅刻しないはずだ」

「ええ　でもレは　ミがとっくに行ってしまってから坂の下で待っていたんだもの」

「ふうん」

ファおじさんはかすかに笑いましたが　それはひげの下にかくれました。

飛行機雲（10月中旬のスケッチ）

「ふうん」
レは感心して　ちょっ
とため息をつきました。
「ねえミ　なんだか今
じゃ　僕よりミの方が
ファおじさんのこと　何
でも知ってるみたいだ」
ミは　にっこりと笑いました。
「ううん　ちっとも知らないわ。それどころか　レに尋いてみたかったの」
「ふうん　何？」

「ファおじさん……何をしている人なの？」

「うん……僕も　ねえさんにも　わからないんだ。ミもやっぱり　わからないの？」

「うん……いつもピアノ弾いたり　散歩したり　そうかと思うと一日中どこかに行っていたり　机に向かって何かしていたり……」

「うんそうだね……でも　きっと　お金は　あんまり持っていないよ。ね　あんな　アパートだもの」

「うん　でも　もしかしたら　天井裏にでもたくさん　あるのかも知れない」

すると　レはまじめな顔で　言いました。

「ふうん　ミ　天井裏　見てみた？」

「ううん」

ミは笑いました。

でも　レはやはりまじめな顔で言いました。

「もしかしたらさ　ファおじさん　魔法か何かで　お金　出せるのかも知れないよ」

すると　ミもなんとなくそんな気がして　まじめな顔になりました。

「ふうん　どうやって？」

「例えばね……夕暮れに　アパートの裏の誰もいない　林の中で　おまじないをして手

をたたくの。そしたら　一つたたくと空から一枚　お金がひらひらと舞いおりて来るの。二回たたくと二枚おちてくるのさ」

「ふうん」

なんだか二人とも　ほんとうに　そんな気がしました。

＊

ミとレは　もういつの間にかファおじさんのアパートの丘のふもとに　やって来ました。

（ファおじさんのアパートと学校の間はレがまっすぐ家に帰るよりもっとあります。そして　アパートとレの家の間はそれよりもっとあります）

「レ　いつも道草して　お母さんにしかられない？」

「うん　しかられるよ。でも今日はね　そうじ当番だからって言ってあるの」

「ふうん」

ミはちょっと笑いました。

「でも　あんまり嘘つかない方がいいわ。あんまり　嘘ついていると　だんだん　嘘つくこと　なんともなくなって来てしまうもの」

「うん」

レは笑いました。

「ファおじさんも　そう言ってたよ」

「でも　もう　うそは言わないよ」

「うん」

ふたりは丘をあおいで同時に気付きました。

「あ　飛行機雲……」

「……ね　レ　ランドセル家に置いて来たら?」

「うん」

レはちょっとためらってから　言いました。

「じゃ　あの　飛行機雲が消えないうちにきっと戻って来るからね。ミ　どこにも行か

ないで　待ってて」
「うん」
レは　今来た道を急いで　家の方に駆けて行きました。

*

ところが　レが　家に帰ると　お母さんに言いつけられて　レは少しの間　留守番をしなくてはならなくなりました。
レは　庭に出て　さっきの飛行機雲を見上げました。
すると　雲は大分いびつになって（まるで長い大きな〝？〟のようです）消えかかっていました。レは　ちょっとため息をついて庭のくりの木のそばにおいてある木の椅子にこ

しかけました。
（お母さん　早く帰ってくるといいんだけどな……）
まだ太陽は　西の空に高く　庭を暖く　照らしていました。
ずっと走って来たので　レは椅子の上で　いつのまにかうとうとしました。
そして……とうとうぐっすりと眠ってしまいました。

*

レは寒くなって目を覚まし
くしゃみをしました。
（それとも　くしゃみをしたから　目を覚ましたのかも知れません）
目の前で　ラが　庭の落ち葉をかきあつめていました。

「あ　ねえさん　もう帰ってたの」

「うん　レ　もう家に入ったら？」

庭はとうに日がかげり　うすら寒くなっています。

レははっとして　太陽の沈みかけている西の山を見やりました。

「あっ……どうして僕　もっと早く起こしてくれなかったの！」

「え？」

ラはちょっととまどって　笑いました。

「だって　レ　〝起こして下さい〟って　言わないんだもの」

「だって……」

レはちょっと口をとがらせました。

そして立ち上がりました。

すると　いつのまにか　レの肩にかかっていたものが　地面に落ちました。

レがひろい上げると　それはラのカーディガンでした。

レはそれをかるく払って　ラに渡しました。

「ごめん……でも僕　約束あったんだ」

「ふうん」

「これで僕　今日　二つ嘘をついた……」

ラはふと落ち葉を集めていたほうきを止めました。

「……どうしたの？　ねえさん」

ラはちょっと考えるふうでした。

レは黙ってテラスのしきいにこしかけました。

　ラが考え事を始めると　他の事には　気付かなくなるくせがあるからでした。

……ねえさん
テストの時　別な事考え始めたら　きっと　とても悪い点をとるだろうな……

　そう思ってい

ると　ラがひとり言のように言いました。
「……私　ときどき　とてもたくさんうそをついているような気がする」
「ふうん……」
レはどうして　そんなこと思うんだろうと　首をかしげました。
ラはまた　落ち葉を集め始めました。
集めても　集めても　落ち葉はいつの間にかあちらこちらに落ちていました。
「落ちたら　だめ」
ラは　木に向かって　言いました。
「ねえさん」
「え？」
「ねえさんのひたい　光ってるよ……」
「え？」
ラは思わず　ひたいに手をやりました。
そして　今にもさいごの光がきえかかっている　夕日をみやりました。
「ああ　あの光……」
ふり返ると　もうレはいませんでした。やがて庭は　すっかりかげりました。

*

「行ってきます」

「行ってきまあす」

次の朝　レとラは　一緒に家を出ました。

「レ　このごろいつも早く行くのに　今朝はいつもより〝遅い〟のね」

「うん……」

レはいつも　学校の坂の下でミを待っているのです。

「どうして今朝は早く行かなかったの？」

「うん……」

レはちょっとうつむきました。

「さあ」

ラはレの背中をぽんとたたきました。

レは駆(か)けて行きました。

*

「行ってきます」
するとファおじさんは　いつものように黙ってうなづきました。
ミはにっこり笑って　階段をかけおりて行きました。
丘をおり　町をぬけ　学校の坂の下まで来るのに　今までミの家から行っていたときより　三倍の時間がかかります。
でもミは早起きでしたから　遅刻するようなことはありません。

やがてミは学校の坂の下にやってきました。
そして立ちどまり　見まわして　いつもレがやって来る海の方の通りを　ちょっとつまさき立つようにして眺めました。
ミはちょっとため息をつきました。
それからゆっくり　坂をのぼりはじめました。
やがてミが　坂を半分のぼって曲り角にさしかかった時です。

うしろから　ぱたぱた足音がして　誰かをよぶ声がしました。
ふり返ると　レがミをよんでいるのでした。
ミは立ち止まりました。
レはすぐに　ミにおいつきました。
でもレは　家からずっと休まずに走ってきたので　ひどく息が切れて　レの話すことばはちっともわかりませんでした。
ミは笑いました。
レももう　ものを言うのはあきらめて　何度も息を大きくつきました。
そしてちょっと笑いました。
二人ともあとは何も言わずに並んで　学校の坂道をのぼって行きました。
遠くの山の頂に　かすかに雪がつもっているのが見えました。

空の呪文（10月中旬のスケッチ2）

「ねぇ　レ　知ってる？」
ミは公園のベンチに腰をおろしました。
「え？　何？」
レもとなりに　こしかけました。
日曜日の公園には　散歩したり　ボール遊びをしたりしている人が　たくさんいました。
その公園の真中には　川が流れていました。
というより　川の流れに沿って公園がつくられているのでした。
つりをしている子供たちや　自転車を走らせている子もいっぱいいます。
川はとてもゆるやかに流れて（それは町の中を通るゆるやかな蛇行する川でした）ミとレはうらやましそうに　そこにうかんでいるボートを眺めました。

（子供同士でのるのは禁止されているのです）

ミは話をつづけました。

「きのうの夜のことよ。夜中に私　ふっと目を覚ましたら　ファおじさんがとなりの部屋で誰かと話しているの」

「ふうん」

「さいしょ私　電話かしらと思ったけど　ファおじさん　電話もっていないものね」

「うん　じゃ誰かいたの？」

「そっとかぎ穴からのぞいたけれど　誰もいないの」

「ふうん……寝言？」

「ううん　ちゃんと机に向かって……パイプの煙もみえたわ」

「ふうん……」

レはちょっと思い出すようでした。

「……そういえば　僕も前に聞いたことある」

「ふうん」

「あのね　ファおじさんの部屋のドアをノックしようとしたら　ファおじさん　部屋の中で誰かと話しているの。〝じゃ　さよなら〟って声がしたから　戸が開くのかなと思っていたら誰も出て来ないのさ。僕が戸をあけると　部屋の中にはやっぱり　ファおじさんの他(ほか)に誰もいないんだ」

「ふうん……やっぱり　ひとり言かしら」

「何　話していた?」

「となりの部屋で小さな声だったから　わからなかった」

「ふうん　何だろ……」

二人はしばらく考えました。

「ね　ミ　僕こう思うんだ」

「何?」

「あのね　ファおじさん

そっと魔法の練習をしているのさ。きっとそれは何かの呪文(じゅもん)なんだよ」

「ふうん……でも〝じゃ　さよなら〟っていうのも　呪文なの？」

「うん　それはね　魔法の電話なんだよ。ほらファおじさんのとこには電話ないでしょう」

「うん」

「でもそれは　ファおじさん　魔法の電話を使えるから　ほんとの電話なんかいらないのさ」

「ふうん」

なんだかミもそんな気がしてきました。

「魔法の電話　どこにかけるのかしら」

「うん……」

レは　ちょっと考えて言いました。

「……きっと　ほら〝今日は一枚たのむよ〟とか言うんだよ」

「え？　どこへ？　何を？」

「ほら　空へさ。そうして　あとで　林の中へ行くと……ね　空から　ひらひらと　舞(ま)いおりてくるのさ」

「ふうん」

ミはちょっと笑いましたが　半分まじめな顔になりました。

なんだかミも　ほんとうにそんな気がしてきました。

「ふうん……そういうふうに落ちてきたらいいな」

しばらくミが黙(だま)っているので　ふとレはミの顔をみやり　何かはっとして　また光る川の面(おもて)をみつめました。

「……ミのお父さん　まだ長く入院(にゅういん)してるの？」

「ううん　大分よくなったって」

「ほんとう？」

「うん」

レはミの顔を見て　安心しました。

「……よかったね　ミ」

ミは黙ってうなづきました。

対岸(たいがん)の石がきに　川の光が　踊(おど)るように　映(うつ)っているのを二人はみつめました。

＊

ラはいつも行く　町の図書館(としょかん)で　本を読んでいました。
でも外は　なんて　よく晴れた気持のよい天気なのでしょう。
ラはもったいなくなって　その本を借(か)りると外へ出ました。

　そして図書館のとなりの　広い庭の芝生(しばふ)に入ろうとしました。

　すると　むこうで芝を刈(か)っている人がいたのであわててやめました。

　ほんとうはそこに入ってはいけないのですから。

　ラは別のところへ行こうと　歩きかけました。

そして　二三歩　歩いて
考えるように　立ちどまり
ました。
ラはゆっくりと　ふり返
りました。
あら……？
ラは　首をかしげました。
でも……そんなことってある
かしら……
ラはなんだかぼんやりとした足どりで　庭の
さくをこえて　その芝生の中に入って行きました。
すると　芝を刈っていた人がこちらを向き　何となく大げさに怒ったように両手を腰に
あてがいました。
ラは驚いて立ち止まりました。
その人は言いました。
「芝生に入らないで下さい　おじょうさん。さもないと　あなたにも　芝を刈ってもら

いますよ」

ラはうなずいて　ゆっくりと言いました。

「ファ・お・じ・さ・ん……ここで何をしているの？」

その人――ファおじさんは　ちょっと芝を刈るしぐさをしました。

「私が何をしているか　あててごらん」

「でも……どうして？」

「芝が　ほんの少しばかり伸(の)び
すぎたのさ」

「でも……いつからここで？」

ファおじさんは　図書館の高い
時計を見やりました。

「そう　だいたい一時間く
らい前から」

ラは言葉(ことば)をさがすように
首を横にふりました。

ファおじさんは　かすか

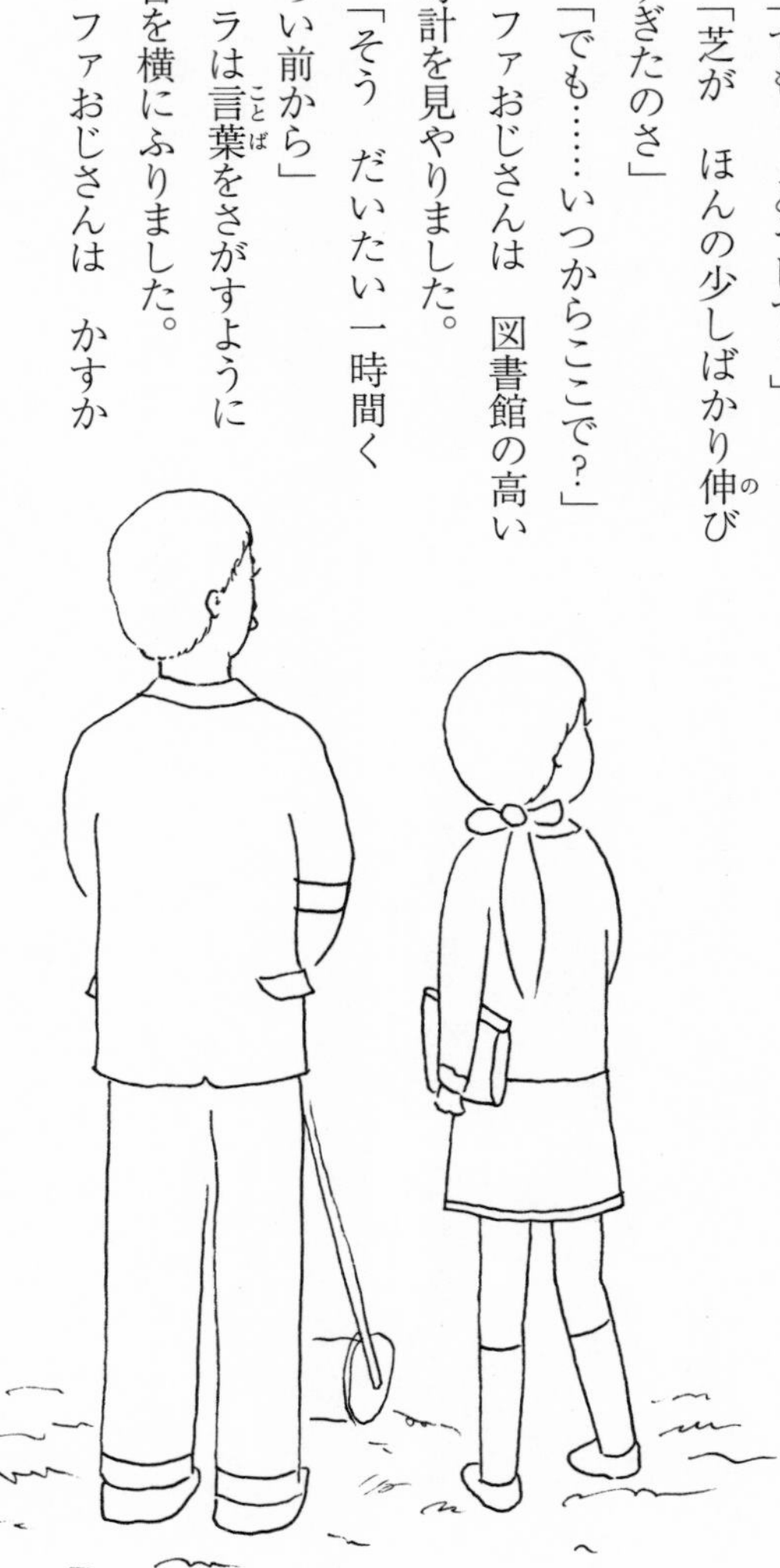

にほほえみました。

ラもようやく少し　にっこりしました。

「あ　やっと　にっこりしたね」

「うん　だって　びっくりしたんだもの」

「どうして?」

「だって……ファおじさん　いつも散歩してるから　働かなくてもお金あるのかと思ってたの」

「うん　散歩しながら　ときどきひろうんだよ。でも最近は　落ちてないんだ」

ラは笑って　もう一度　首をよこにふりました。

そして　考えをまとめるように　思わず空を見ました。

ファおじさんも空を見ました。

「いい天気だ」

ラはもう一度　ファおじさんを見ました。

「ね　ファおじさん……」

「何だい」

「レが　あのとき……無理なお願いをしてしまったのね」

「何故だい？　私は　欲しいものがあるから　アルバイトしているだけだよ」

「ほんとう？……」

「それとも　その欲しいものを　こっそり盗んでもいいんだが　今回はやめとこうと思ったのさ」

「ほんとうに？……」

ラはファおじさんをみつめました。

「というのも　こっそり盗むには　それ　重すぎてね」

ラは　にっこり笑いました。

「ありがとう　ファおじさん」

「そうだね　これでラは〝盗人のおじさん〟を持たなくてすむんだから」

「ううん　ありがとう　ファおじさん」

ラは握手するように　ファおじさんの右手をとりました。

「レには　言わないでおくわね」

そう言って　またすぐに向こうへ駆けて行きました。

ラは図書館の門のところで　もう一度ふり返ってみました。

ファおじさんは　また　芝を刈りながら木のかげに見えなくなりました。

*

夕食の最中に　レはラにそっと話しました。

昼間（ひるま）　公園で思いついたことを。

ファおじさんがどうやって空からお金をふらせるのか。

ラはふふっと笑いました。

すると　お父（とう）さんが　子供（こども）はお金の話なんかしてはいけない　としかりました。

夕食の後で　レはラに言いました。

「でも　ファおじさん　もっといっぱいふらせて　困っている人みんなに　あげたらいいのに」

「ええ　でも　空はきっと一日に一枚くらいしかできないのよ」

「ふうん……」

レはちょっと　考えました。

「……きっと　そうなんだね」
そう言って　レは自分の部屋に帰りました。
ラは　レのうしろ姿を見て　かすか
に　にっこりしました。

川の流れ（10月下旬のスケッチ）

ミはくしゃみをしました。
「外は　もうずい分涼しく
なったね」
ファおじさんは言いました。
「ううん　そうじゃないの。
空を見ていたの　私」
「ふうん」
ファおじさんも机から離れて　窓のところに　やって来ました。
そして　ミといっしょに　空を見ました。
ミは　言いました。

「ほら　ファおじさん　雲が　さざ波のようでしょう?」

「ああ　ほんとだね」

「あのね……空から……ほんとうに……」

ミは　言いかけて　やめました。

ファおじさんは黙っていました。

それから　公園のある川の方を指さしました。

ミはそちらを見やりました。

「あ　ボートがたくさん浮いてる」

「ミは　ボートに乗ったことがあるかい?」

「ううん　子供同士は禁止されてるし　父さんはいつも忙しかったから……」

「それじゃ　行こうか」

「え?　うん」

ミはファおじさんを見て　うれしそうに　にっこり笑いました。

*

川はゆっくりと流れ　よほど　いねむりでもしないかぎり　ボートが海まで流されてし

まうことはありません。

ミとファおじさんは　緑色のすじの入った白いボートを借りました。

「ミ　こいでごらん」

「うん　でも　私にできるかしら」

「それは　やってみないとわからないさ。だからやってみよう」

「うん」

ミはうなずいて　オールのあるところに苦心してこしかけました。

ファおじさんは　ボートの出し方と　こぎ方を教えました。

「どう?　自分でこぐのは　気持いいかい?」

「うん　でも　とっても力がいる」

「ゆっくりで　いいんだ。どこかへ急ぐ訳ではない」

「うん」

ミは　だんだん慣れて来ると　よけいな力を入れずに　ボートを動かすことが出来るようになりました。
ファおじさんは　曲り方や　止め方を教えました。
ミはすっかり　夢中になって　どんどんこいで行きました。
「ミ　くたびれたら少し休んで　周りの風景を見なさい」
「うん　でも　それは　帰りにしようと　思うの。今は　ずうっとどこまでも　川の上の方へ　こいでみたくて」
ミは　ちょっと歯をくいしばって　笑いました。
「そうか　それなら　好きなところまで　こいで行っていいよ」
ファおじさんは　火のついていないパイプをくわえて　ぼんやり空を　見上げました。

*

ファおじさんは　のんびりと　辺りの景色を眺めています。
やがて　ミは　とうとう　くたびれて手を休めました。
ファおじさんは言いました。
「オールをボートの上に上げてしまいなさい。もうここまで来れば　あとは　川の流れ

がゆっくりと　元のところへ帰してくれるからね」

「うん」

ミは大きく息をついて笑いました。

そして　どこまで来たかな　と辺りを見まわしました。

あら……

ミは何度も辺りを見まわしました。

両側の土手はとてもなだらかで　そこに明るい青い花が一面に咲いて　風で波のようにゆれていました。

……こんな所……この町のどこにあったかしら……

でもファおじさんは　それを当たり前のように眺めています。

「……ここは　どこかしら……」

「うん　大分　川上に来たんだよ」

「ふうん……」

ミは　不思議そうに辺りを見まわしました。

川巾はさっきより広くなっていて　他のボートは　一そうも見えません。

「なんだか　ずい分　遠くへ来たみたい」

「うん　まあ　そうでもないよ」

ファおじさんは　ふと　岸辺に一本　たけの高い白い花が咲いているのに気付きました。

「おや　何の花だろう。ちょっと見てこよう」

「じゃ　ボート回す？」

「いや　今ちょっと行って来るよ。ミは　ここで待っていなさい」

「え？　でも……岸は　あんなに離れてるわ」

ミはそう言って　岸をみやりました。

そして　あっと驚きました。

もう　いつの間にか　ファおじさんは　岸のその白い花のそばに立って　その花をしげしげと　みつめているのです。

ミはぽかんと口を開けたまま　今ファおじさんのすわっていた席を　見やりました。

そしてミは　もっと驚いて声も出ませんでした。

いつの間にか　そこに　別の人がすわっているのでした。

そして　その人はよく知っている人なのに　はじめは誰だか　わかりませんでした。

ミはやっと　小さくつぶやきました。

「……母さん……」

＊

ファおじさんは　その背の高い白い花を　ずい分長い間　しげしげとみつめ　それを手帳にかきとめました。

それから　ちょっとため息をついて　パイプに火をつけると　またしばらく辺りを見回しました。
やがて　ファおじさんは　遠ざかって行く　ミのボートに呼びかけました。
ミは　はっとして岸をみやりました。
でも　ファおじさんは　どこにいるのでしょう。
あっと思って　ミは　前の席を見ました。
するともう　ファおじさんは　元通り(もとどお)そこにすわっていました。
「ミ　どうも私は　新しい花を発見したようだ」
ファおじさんは満足そうに笑って　それから　かすかにため息をつきました。
「しかし　たった一本しかなかったから　つみとるわけには行かない。だから誰も私の発見を信じないだろうね」
ファおじさんは　かすかに笑って　ミを見やりました。

「おや　ミは　ぼんやりして　私の話を聞いていなかったようだね」

ミは首をふりました。そして不思議そうに　ファおじさんを見つめました。

「……あの……私……今　たしかに　会って話していたんです」

「ふうん」

ファおじさんはそう言って　パイプをふかしました。

「……夢なんかじゃなかったように　思うんです」

「そうか」

ファおじさんは　ぼんやりと景色を眺めていました。

ミはファおじさんをみつめました。

そして　手に持っていた紙包み（かみづつ）を　ファおじさんに開（ひら）いてみせました。

「……これ……今　私　母（かあ）さんからいただいたの」

ファおじさんは　それを　ちらとみて　言いました。

「なるほど　便利（べんり）なものをもらったね。すぐに　お父（とう）さんに渡（わた）しなさい」

「うん」

ミは　そのお金の包（つつ）みを大事にポケットにしまいました。

ファおじさんは黙（だま）って　岸をみていました。

ミはかすかにため息をつくと　やはり岸をみやりました。

……あら……ミは　ゆっくりと反対の岸もみやりました。

あら……ふうん……いつのまにか　もう町の中だわ……

やがてボートが橋(はし)にさしかかると　その上から小さな子供たちが　ボートに手をふりました。

ミも笑って　手をふりました。

すると　ミの視線(しせん)は橋の子供たちから　空の方に移(うつ)りました。

　空には　あいかわらず　さざ波のような　絹積雲(いわしぐも)が浮いています。

　でもいつのまにか　その中に　まるで　ボートが通ったような　波もんが　出来ているのでした

……

*

「こんにちは　ファ」

「やあ　ル」

「ミは？」

「今　お父さんのところに行っている」

「ふうん　ファはこのところ　ずいぶん働き者になったわね」

「ルは感心してるのかい？」

「まあまあね」

「何か　空からふってくる呪文を知らないかね」

「それは　人間だけで　私たちには必要ないわ」

「そうだね」

ファおじさんは　パイプを机に置くと　いつのまにか椅子にもたれ　ちょっとくたびれ

たように眠(ねむ)っていました。

*

ミが帰って来た時も　ファおじさんは　まだ椅子の中で眠っていました。

部屋はすっかり涼(すず)しくなっていました。

ミはあわてて窓を閉め　ファおじさんに毛布(もうふ)をかけました。

そしてミは　今日あったことを　ぼんやり思い出しました。

ふとそのとき　ミは何となく　はっとして　ファおじさんの顔をみやりました。

それからミは　ファおじさんの　ひざの上に頭をのせ　やがてミも　いつの間(ま)にか　ぐっすりと眠っていました。

初雪（11月のスケッチ）

「みっともないわ　そんなの」

ラが言いました。

「そうかな　僕　いいと思うんだけどな」

レは鏡を見て言いました。

「お父さんにしかられるわよ」

「ふうん　そうかなあ」

レはあきらめて胸のボタンホールから赤いばらをぬきとりました。

レもラも　今夜は　ちょっとめか

し込んでいます。

「だって　舞台(ぶたい)の上の人　よくやっているでしょう」

「それは　舞台の上の人だからいいの」

そう言いながら　ラは自分の服(ふく)にそれをつけました。

「あ　ねえさん　ずるいよ」

「私なら　おかしくないのよ」

ラはちょっと笑って　鏡を見ました。

「ほらね」

「そうかな　僕と違(ちが)わないよ」

レはもう一本　花びんの中から　ばらの花をぬきとって　胸につけました。

「ほら」

「いいえ　ちがいます」

「同じです」

レとラは　そのまま玄関(げんかん)へ出て行きました。

そして　お父さんとお母さんはまだかな　と奥(おく)の方を見たり　靴(くつ)を鳴(な)らしたりしました。

レの家族(かぞく)はこれから　夜の音楽会(おんがくかい)へ出かけるところなのです。

ふた月に一度くらい　レの家ではそろって　映画(えいが)か音楽会へ行きます。

何にするかは　お父さんが決(き)めます。

ですから　レヤラにとって　いつもおもしろいものという訣(わけ)ではありません。

特(とく)にレは　音楽会は苦手(にがて)なのです。

いつも　耳は聴(き)こうとしているのに　目は眠(ねむ)ろうとするからです。

「ね　今夜(こんや)の音楽会　行ってみたら　いつのまにか　お芝居(しばい)か映画になってない？」

「ならないわ」

「どうして？　指揮(しき)する人が風邪(かぜ)ひいても？」

「うん　ならない」

「風邪ひいたら　どうするの？」

「きっと　がまんしてやるのよ」

「かわいそうだね」

でもレは　たとえ音楽会でも　始(はじ)まる前の気持と　終(おわ)ってからみんなでしんとした夜道(よみち)を帰る時が大好きでした。

「なんだか　わくわくするね」

「でも　すぐ眠ってしまうんでしょ」

ラは笑って言いました。
やっとお父さんとお母さんが奥から出て来ました。
すると　お父さんは黙ってレの胸から赤いばらを
ぬきとって　玄関の花びんにさしました。
でも　ラのは　そのままにしました。
ラは〝ほらね〟というふうに　レを見やりました。
レはわざと向こうを向きました。

*

小さなホールは　町の人でいっぱいでした。

レは自分の席から立ち上がって　うしろを見たり　二階の席を眺めたりしました。

「いた？」

ラが小声でききました。

「ううん　いないみたい」

ときどき　ファおじさんもどこかにいることがあるのです。

レは　落ち着いてすわっていなさい　とお母さんに言われて腰をおろしました。

「今夜　何曲やるの？」

レはプログラムを見ていたラに聞きました。

「一曲だけね　あと小さいのが……」

「ああ　ふうん」

レは悪い予感がしました。

とても長い曲に　違いありません。たった一曲なら
終るのは　いったいいつでしょう。

それまで　眠らずにいる自信はありませんでした。

「ねえさん　どうやって　眠らずにいるの？」

「だって　よく聴いているとおもしろいわ」

「ふうん　おもしろいの」

レは不思議そうに　言いました。

「いつも　おもしろい？」

「ううん　たいくつなのもある」
ラは　ちょっと笑いました。
「今夜の　おもしろそう？」
「さあ　きっと……」
ラが言いかけると　開始のベルがなりました。
二人とも　口をつぐみました。

＊

やがて　音楽が始まりました。
レは何だか　もう眠る準備をはじめました。
きっともうじき眠くなるんだ……
レは椅子に深くすわって　頭をもたせかけました。
ところが　レはいつもとちがって　自分の心が　とても
不思議に踊っているようなのに気づきました。
なんだか　眠るどころではありません。
どうしたんだろ……何が起こったのかな……とレは思いました。

レの心は　音楽といっしょに　くるくるまわりました。

そして音楽は　外からきこえて来るのではなく　心の中から湧いてくるような　気がしました。

なんだかまるで自分が　音楽になってしまっているようでした。

レは全く時のたつのも忘れて　じっとオーケストラをみつめました。

ほんとうに　そこから音がしているのでしょうか。

レはたとえ耳をふさいでも　ちゃんと音楽がきこえてくるような気さえしました。

と　その時　ふと　レは気付きました。

目の前の席の頭のはげた男の人が　もうこっくりこっくりいねむりを始めているのです。

おや……そのとなりの女の人も　こっくりこっくりしています。

レは思わずにっこりして　ほら　というふうに　ラをそっとひじでつつきました。

でも……

おや……いくらつついても　ラは返事を返しません。

レはラを見やりました。

ふうん
レはちょっと驚きました。

ラも　もう　こっくりこっくり眠っているのです。
レは思わず　にっこり笑いました。
そして　お母さんに知らせてやろうと反対の席を見やりました。
すると　あれ……
お母さんも　こっくりこっくりしています。
その上そのとなりのお父さんまで　気持よさそうに　こっくりこっくりしています。
レは驚いて　もう一度ラを見やりました。
すると　ラの向こうどなりにすわっている人も　こっくり　こっくり……
レはますます驚いて　すわったまま客席を見まわしました。
そして　すっかり驚きました。
もう　だれ一人　起きている人はいないのでした。
みんなそろって　こっくりこっくりしているのです。

みんな　うっとりして眠っちゃったのかなあ……
でも　音楽は　レの心を　ますます踊らせるような気持ちにさせました。
レはもう一度　オーケストラを見ました。

そして　レは思わず立ち上がりました。

＊

舞台には　いつのまにか森の風景がひろがり　音楽はあたかもその奥からきこえてくるようでした。

レはとても驚いて　もうそこにじっとしていられなくなり　みんなの間をすりぬけて舞台の下に行ってみました。

ほんとうに　それは　風に木の葉がゆれている　現実の森でした。

鳥も飛んで行きます。

そのむこうには広い湖が見えました。
明るい光に照らされ　かすかな波がかがやいていました。
レは音楽にさそわれるように　舞台に上りました。
ふりかえると　お客さんがみんな音楽に合わせて　こっくりこっくりしています。
レは思わずおかしそうに　にっこり笑いました。
みんなの顔は　舞台の――いえ　森の光に　ぼんやり照らされて　さざ波のように動いています。
すると　その森の奥から　呼ぶ声がしました。
〝レ……ほら……〟
(おや　この声は――)
レは　森の中へどんどん入って行きました。
〝レ……こっち……〟
レは立ち止まりました。
すると　木のうしろから　ミが顔を出しました。
レはにっこり笑って　ききました。
〝ミ　どうしてここにいるの？〟

そして　レは驚きました。

レはちゃんと声を出しているつもりなのに　それはまるで　フルートのアルペジョのように響(ひび)くのでした。

ミはちょっと笑いました。

〝今夜は　ファおじさんにつれてきてもらったの〟

すると　そのミの声は　ハープのように響きました。

レもなんだかおかしくなって笑いました。

二人の言うことは言葉としてきこえないのに　お互(たが)いに何を言っているのかよくわかりました。

〝ファおじさんは　どこ?〟

〝湖にボートを浮かべてるわ〟

ミはレを連れて　森の中を
湖の方へ歩いて行きました。
聞いたことのない鳥の声が
たくさんきこえました。
そして風にのって　何やら
かぐわしい香りがしました。
〝見たことのない花ばかり
咲いてる〟
レは思わず立ち止まりました。
するとミが小さな赤い花をお
りとって　レの胸のボタンホール
にさしました。
レも白い花をおりとって　ミの胸のポケットにさ
しました。
二人の歩みは　音楽といっしょでした。
レがわざとどんな歩き方をしても　それは音楽といっしょになりました。

〝おかしいねえ　どうしてこんな風になるんだろう〟
レもミも　顔を見合わせて首をかしげ　また笑いました。
どうして　こんなに　くすくす　おかしいのかな……
レはそれがおかしくて　また笑いました。
すると　もう湖の岸辺に来ていました。
〝ほら〟
ミが指差すと　遠くにファおじさんのボートが浮かんでいました。
〝私たちも追いかけましょう〟
〝うん　でもボートは？〟
〝ファおじさんが　教えてくれたわ〟
そう言ってミは　そばにあっ

たささの葉をおりとって　ささ舟をこしらえました。

レがけげんそうにききました。

〝どうするの？〟

〝これにのるの〟

そう言って　ミはささ舟を湖にうかべました。

するとそれは　ミとレが　ちょうど　のれるくらいの大きさに　なりました。

〝あ　ほんとだ。どうして今まで僕このやり方　気づかなかったんだろう〟

〝うん　私も。今度　川へ行ったらやってみましょう〟

〝うん　そうだね〟

二人はさっそく　ささ舟にのりました。

オールは　ささの　くき　でした。
ミがオールをとりました。
〝ミ　こげるの？〟
〝うん　この前　ファおじさんに教えてもらったの。見てて〟
ミは　上手に　こぎ出しました。
〝ふうん〟
レは感心しました。レより　ずっと上手です。
レは笑って　ささ舟のともに背をもたせかけました。
水面を小さな雲が流れて行きます。レは空を見上げました。
雲はじっとして　ほんとうに　舟がすうっと　流れて行ってるのかしらん　と思えるほどです。
レはなんだか　いつの間にか空がかすかに夕焼けになっているような気がしました。
すると　音楽がしだいに静かになりました。
〝ほら　聞こえる？　遠くでヤマガラが鳴いているわ〟
〝うん　ほんとだ……〟
やがて　ファおじさんのボートのそばにやって来ました。

ファおじさんは　二人をふり返りました。

そして　オールをボートの上にのせました。

「残念だね　もう音楽はおしまいだ」

〝ふうん〟

二人はため息をつきました。

〝ファおじさん　僕たちこれからどうやって帰るの？〟

レは辺りを見回して　さっきの舞台の方向はどっちだったろう　と思いました。

するとファおじさんは言いました。

「レは　これから　目を覚ますんだよ」

〝え？　目を覚ますって？〟

レは驚いて　不思議そうにファおじさんをみつめました。
「レはきっともうじきラに起こされる。すると　レはちゃんと自分の席に戻っている」
〝え　じゃ僕　今　眠っているの？〟
「いいや　安心していい。他の人は眠って　レは確かに　起きているんだ。だがしかし　みんなは　レの方がずっと眠っていたのだと思い込んでいるだろう」
〝ふうん……〟
レはよくわからないように　首をかしげました。
ファおじさんは　黙ってかすかに　にっこりしました。
音楽が　遠くへ　遠くへ　遠ざかるように消えました。

＊

「レ……レ　起きなさい」

呼ぶ声がしました。

レははっとして　目を覚ましました。

ラが笑って見ています。

辺りを見ると　みんな客席を立ち上がって　もう帰るところです。

「……あれ……舟は？」

「？　何　言ってるの。夢をみてたのね」

「え？　だって　眠っていたの　ねえさんじゃない」

「私はちゃんと起きていたわよ」

「ううん　ちゃんと眠ってたよ」

「何　言ってるの。へんな夢みたのね」

ラは笑いました。

「ううん　ほんとだよ」

レが言うと　お父さんが言いました。

「レ　お前さんは　気持よく舟をこいでたよ」

ほらね　というふうに　レはラを見やりました。

ラはにっこりと笑いました。

「〝舟をこぐ〟って〝いねむり〟のことよ」

「あ　ふうん……」

レはファおじさんの言葉を　ぼんやり思い出しました。

そして　ふと　ファおじさんやミがこの中にいるはずなんだ　と思って客席を見まわし

ました。

でも二人はどこにも見つけられませんでした。

（……きっと……もう帰っちゃったのかもしれない……）

＊

帰りの夜道(よみち)は　とても寒くなっていました。

レは　思わずくしゃみをしました。

「私のスカーフ　かしてあげるわ」

「うん　ありがとう」

ラはレに　自分のスカーフをまいてやりました。

「あら……？」

ラはふと　レの胸元(むなもと)を見やりました。

「どうしたの？　この花」

「え？」

レは自分の胸元をみやりました。

すると上から二番目のボタンホールに　小さな　見たことのない　赤い花がさしてありました。

「あ……」

レは思い出しました。ミが森の中でさしてくれた花です。

「これ……」

レが言いかけると　前を歩いていたお母さんが　あら　と言って立ち止(ど)まりました。

お父さんも立ち止まって　お母さんの見ている方をみやりました。

ラとレも　同じように夜空を見上げました。

すると　真暗(まっくら)な闇(やみ)の中から　白いものがちらちらと降(ふ)って来るのでした。

「初雪(はつゆき)……」

ラがつぶやきました。

みんな立ち止まったまま　しばらくそれを見ていました。

ふと　レは　なんとなく　どこかの道の上で　ミもファおじさんといっしょにこの雪を見ているような気がしました。

朝の会話（11月のスケッチ2）

「僕　思うんだけどね」
夕食（ゆうしょく）の後で　レは言いました。
ラは廊下（ろうか）で　部屋のドアに手
をかけてふり返りました。
「何？」
「〝さっき〟って　ほんとう
に　あったのかな」
「え？」
ラは何だろうと首をかしげ
ました。

「〝さっき〟って?」

「ほら〝さっき〟僕た
ち 夕ごはん食べたでしょ
う。そのときの〝さっき〟っ
て 今どこに行ったんだろう」

「ふうん」

ラは廊下のぼんやりした灯りを
見つめました。

レはまた言いました。

「〝さっき〟って さっきは〝今〟だったのに ほら〝今〟だって どんどん〝さっき〟

になってしまうでしょう。〝今〟は どこへ行ったの?」

レは廊下の窓に寄って 外を見やりました。

ラはききました。

「……星 出てる?」

「うん 少し」

「ふうん……」

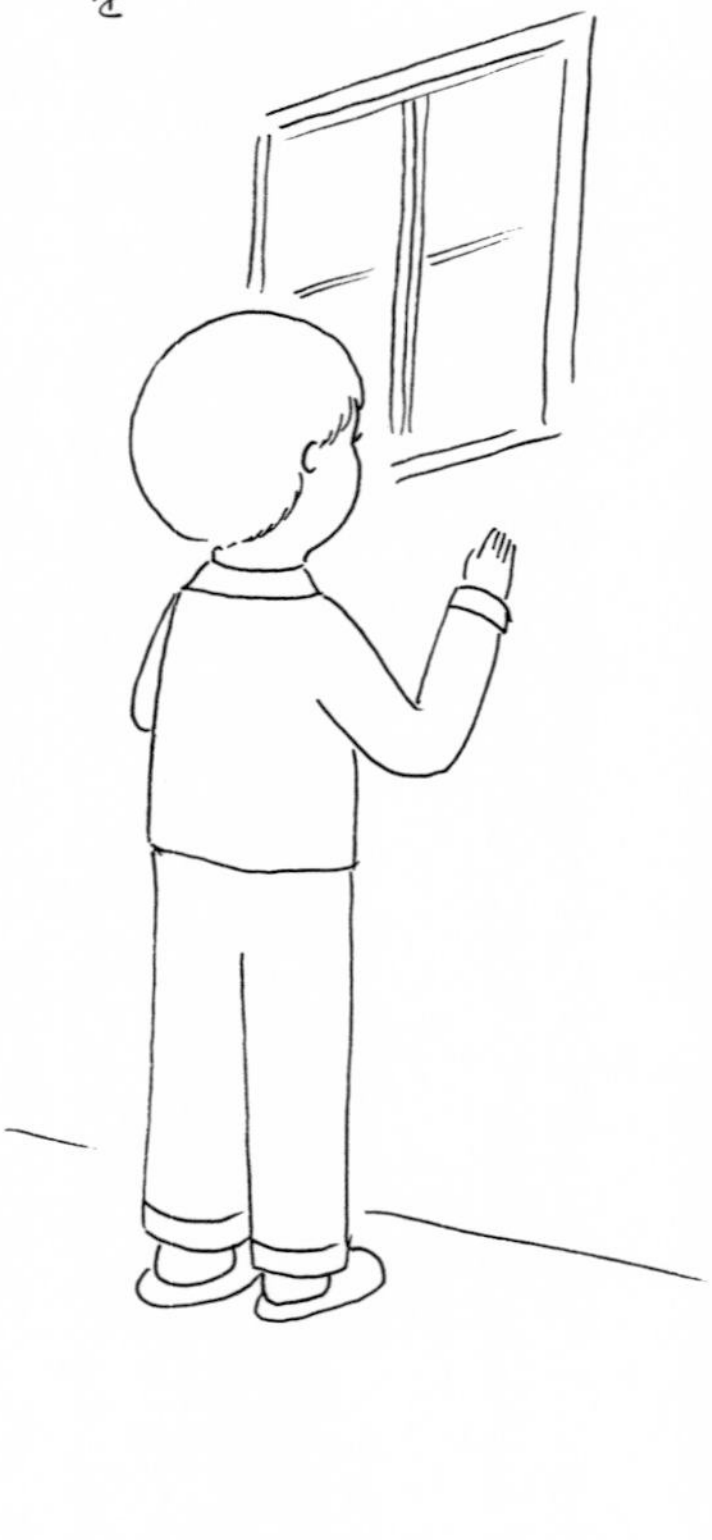

それから　レは自分の部屋に入りました。
ラはふと　レと同じように　窓に寄って空を見ました。
すると　ちょうど　東の空低く　三つの星がきれいに並んでいました。
「あ……オリオン座……」でもその半分はまだ水平線の下です。

*

ラはその夜　夢を見ました。

レが明るい海辺で　何かひろって
いました。

そして　それを　砂の上に坐って
いたラのところへ持って来ました。

「何ひろったの？」

「うん　〝今〟をひろったんだよ」

「え？」

ラはそれを両手で受けとりました。

でもそれは　欠けた貝や　石のように丸くなった色ガラスやしまもようのみえている小石やなにかでした。

「ふうん　これがそうなの？」

でも　ラはなんとなく感心しました。

ラも立ち上がりました。

「じゃ　私もたくさんひろってこよう」

今度はレが砂浜に坐って　海を見ていました。

ラはあちこちさがしました。

でも　どうしたのでしょう。

そこにあるのは砂ばかりで　貝のかけらも　石ころも　ありません。

おかしいなあ　とラは首をかしげながら　レのところへ戻って来ました。

「見つかったかい？　ねえさん」

「いいえ　ちっとも」

「ふうん」

レは　クックックッ　と笑いました。

「ほら　あそこに　落ちてるじゃない」

そう言って　レは立ち上がり　波打ち際に落ちていた大きな貝をひろい上げました。

（ふうん……どうして　さっきは　気付かなかったのかしら……）

ラは思いました。

今度は　ラはレといっしょにさがしました。

でも　レはすぐに見つけるのに　ラはひとつも見つかりませんでした。

ふうん

ラはなんだか　とてもがっかりして　また砂の上に腰をおろしました。

……どうしてレには見つかって　私には見つからないんだろう……でも……あの貝や石ころが　ほんとうに……　〝今〟なのかしら……

そう思っていると

あら……？

ラは　むこうにファおじさんが立っているのに気付きました。

ラは急いでそこに行ってみました。

ファおじさんは　いつものように　パイプをくわえて海をみていました。

「ファおじさん　どうして　私には　レのように〝今〟をひろえないのかしら」

ファおじさんは黙っていました。

「私　いっしょうけんめい　さがしたのに」

するとファおじさんはパイプを口からはなしてひとり言のように言いました。

「ラ　もうすっかり忘れてしまったんだね」

「え？」

「ラも　レと同じ頃にはよくひろっていたのに」

「ふうん……」

「さがすから見つからないんだよ　ラ」

「え？」

「何もさがそうとせずに　目を閉じて砂にさわってごらん」

ラはそうかしら　と思って　何も落ちていない砂の上にしゃがんで　目を閉じました。

それから　ぼんやりと手をおろしました。
と　その時　そばに大きな波のやってくる音がして　ラははっとしました。
そして　ラはもうその時　目が覚めていました。

＊

カーテンは　ぼんやりと　明るくなって　もう朝の光が水平線の向こうから　空にひろがり始めているのがわかりました。
おかしな夢だったな　とラは思いました。
そして大きく息をつきました。
その時ラは　おや　と思いました。
何かしら……
ラは右手を目の前に持ってきて　開きました。
すると　その手の中から　貝の小さなかけらが　ひとつ　こぼれおちたのでした。

＊

「ねえさん　きのうの　わかった？」

「え？」

レとラは朝食（ちょうしょく）のテーブルについたところです。

「ほら〝さっき〟や〝今〟はどこに行っちゃうのか」

「うん……」

ラは　ちょっと考えました。

「……きっと　それは　心の中に　みんなあるのよ」

「ふうん」

「そして　こころにあるのは　ぜんぶが〝今〟じゃないかしら」

「ずうっと前のことも？」

「うん　ずうっと前のこともね」

水平線の雲（11月のスケッチ3）

ミは家の掃除をしています。
やがて　レがやって来て　アパートから持って来た　ミの荷物を置き
「これで終りだよ」と言いました。
ミは　お茶を出して　「ごくろうさま」と言いました。
縁側で　二人でお茶を飲みました。
それからレも　掃除を手伝いました。
明日は　ミのお父さんが　家に帰って来るのでした。
レは　暗くなるまで　ミの家にいました。
街の光が　ぽつぽつと見え始めました。
「ここから町を見るの　ひさしぶりだね」

「うん　なんだか
別の町を見てるよう」

「ミ　今夜　また
ひとりだね」

「うん　慣れてるから」

レは　部屋の灯りをつけました。

「……小さな家って　なんだかいいな」

「ふうん　私　レの家みたいに大きな家っていいなっていつも思うわ」

「ふうん　そうかなあ」

レは黙ってストーブの火を見つめました。
山の奥の木々が　風でこうっと鳴りました。
明日はまた霜が降りているかも知れません。
やがてレは　暗い坂を駆け降りて行きました。
ミは窓から　ぼんやり　ファおじさんの丘を見つめました。
丘の上には　たくさんの窓の光がありました。
でもミには　どれがファおじさんの窓の光なのか　遠すぎてわかりませんでした。

*

ミが眠りについたころ　ルがファおじさんの机の上に降りました。

「ブルッ　寒い　外は」

「うん　風も出て来た」

ファおじさんは　窓をしめて
パイプに火をつけました。

「ミは？」

「大丈夫」

「レは？」

「今日　レがあんな
にお掃除をしたのは始
めて。ふだんは自分の部
屋もろくにしないのに」

「ふうん」

「また　遅く帰ってしかられていたわ」

「そうか」

ファおじさんはパンと水を　ルのところに置きました。

「ありがとう」

「もう食べるものは　だんだんなくなったろう？」

「ええ　でも町にいれば　どこかに何かあるわ」

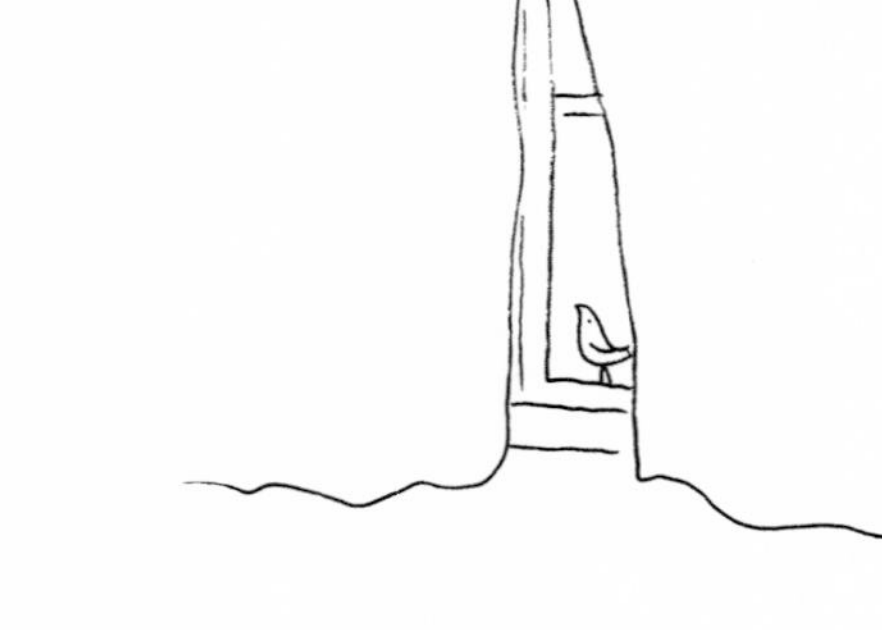

「そうか」
ストーブが風に　ごう　と鳴りました。
窓を開けてやると　ルは　また　丘の林に帰って行きました。

*

それからレは　朝はまた前のようにラといっしょに家を出るようになりました。

門(もん)の前の小道に出ると　二人(ふたり)の足もとで　パリン　と音がしました。

「ほら　すっかり水たまり　凍(こお)ったよ」

「うん」

レは　何度も氷(こおり)を割(わ)ってみました。

「どうして水　氷になるのかな」

「寒いからよ」

ラは笑って言いました。

「ううん　そうじゃなくて　寒いと　どうして　氷になるの?」

「うん……」

ラもよく考えるとわかりませんでした。

「ねえさん……ねえさん」

ラは　ふっと　我に帰りました。

「え？」

「ねえさん　考えてると遅刻するよ」

レは笑って　向こうへ駆けて行きました。

ラも　ちょっと笑いました。

レが駆けて　角を曲がると　あぶなく人にぶつかるところでした。

「あ　ごめんなさい」

「いや　ちょっと……」

その男の人は　呼びかけました。

道をさがしているのかな　とレがふり返ると　その人は言いました。

「きみ　レだね……いろいろ　ありがとう」
そう言って　その人は　ぼさぼさした頭を下げると　何か急ぐように行ってしまいました。
レは驚いて　その人のうしろ姿を見ていました。
そして　二三歩　歩きかけて　ようやく　その人が　誰だか　何となくわかりました。
ふり返ると　もうその人の姿はありませんでした。

＊

「……でも　どうして　一度も会ったことないのに　僕のこと　ミのお父さんは　すぐわかったんだろう」

音楽の時間に　となりにすわったミに　レは言いました。

「うん……父さん入院してた時　よく夢を見たんだって」

「ふうん　どんな?」

「うん　だいたい私の夢なんだけど　あとできくと　いつも私がその日　ほんとうにしていたことの夢なの」

「ふうん　不思議(ふしぎ)な夢だね……」

「うん　だからその中に　レもちゃんと出て来るの」

「ふうん」

「でもねそれ　病気(びょうき)がなおるにつれて　だんだん　見なくなったんだって」

「ふうん」

と　その時　先生(せんせい)がいつの間にか　そばにやって来(こ)られて　笛(ふえ)の先(さき)で二人の頭をかるく　こつんこつんとたたきました。

みんなくすくす笑いました。

レとミは思わず下を向きました。

やがてミはしたを向いたまま　さっきよりも小さな声で言いました。

「あのね　一度だけ　父さん　夢の途中でふっと目が覚めたの」

「うん」

「そうしたら　ベッドの横の椅子の背に　青い小鳥が止まっていたの」

「ふうん」

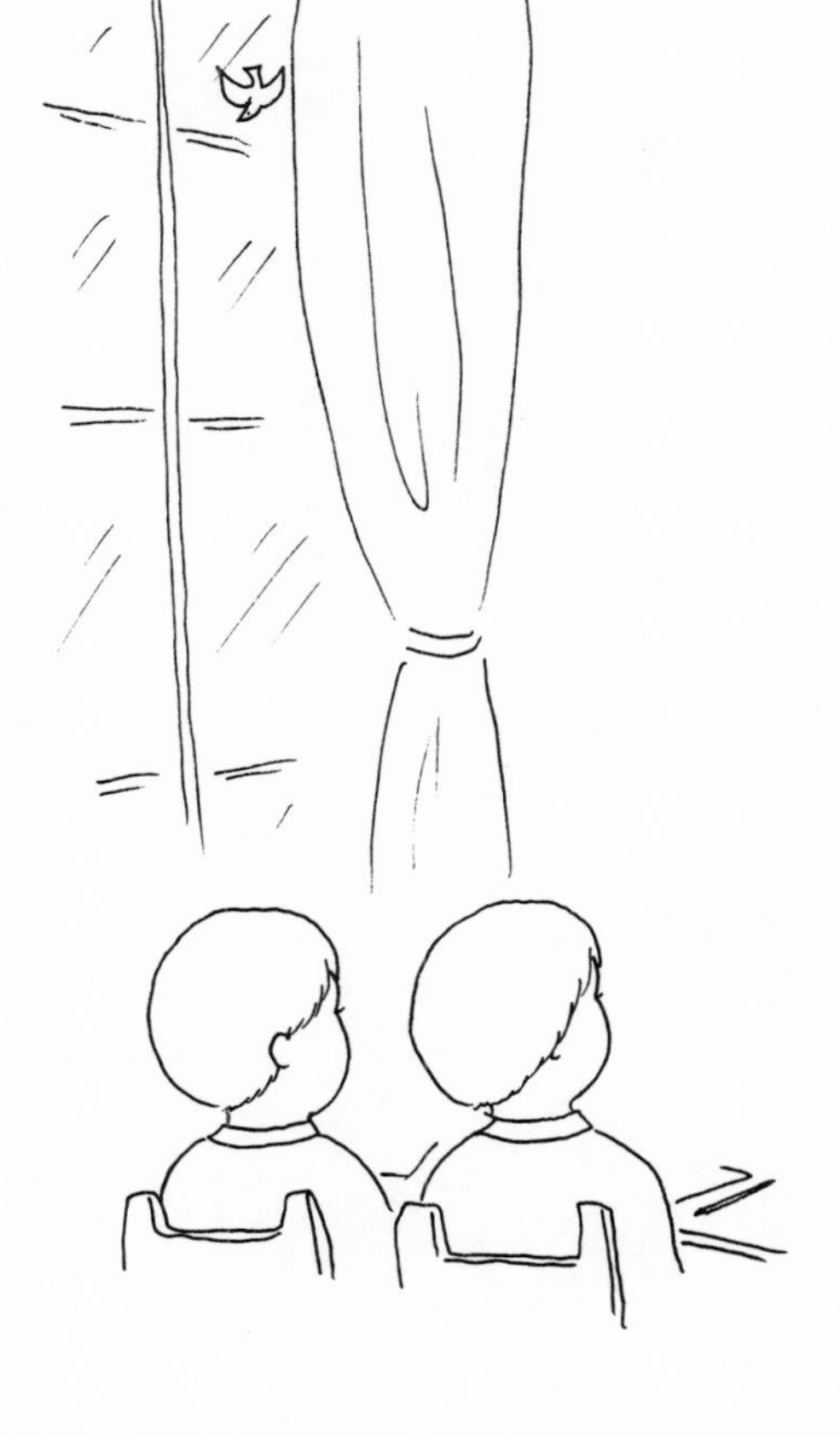

「でも　すぐに　窓から　いなくなってしまったんだって」
　その時間　ミとレは先生の話を聞いているふりをしながら　心は全然別のことを　空想したり　考えたりしました。

＊

　ラは学校の帰り道　ふっと今朝レの言った言葉を思い出しました。
（そうだわ　なんだか……）
　ラは　坂の上で立ち止まり　海の上の雲を見つめました。
（……いつもあたりまえに思っていることって　よく考えると　みんな不思議なことなんだわ……）
　ラはその時　水平線上の　青銅色の雲が　何か明るくかすかなトランペットの音色を海の上いっぱいに響かせているような気がしました。

たき火（11月末のスケッチ）

火の中で　枯れ枝が
はじけました。
レはまた　庭中の枯れ
葉を（でももうあんまり落
ちていません）集めて来て　火
の中に入れました。
すると火が消えそうになりました。
ラがあわてて　その葉を　木ぎれで　の
けました。
「きっと　湿ってるのよ　この葉っぱ」

「ふうん　そうか」

レはもっと燃やすもののないかな　と辺りを見まわしました。

「もうないね。くずかごから　ひろってこようか」

「だめよ。たき火　あそびじゃないんだから」

「うん　でも　火をもやすのって　好きだな」

「うん　そうね」

「僕　一日中もやしてても　きっとあきないよ」

「でも　もやすのは　たき火だけにしといてよ」

レは　風のない空に昇って行く煙を見上げました。

「……煙って　どうして上に上がって行くのかな」

「軽いからよ」

「うん　どうして軽いと　上がるの？　だって　ボールは下に落ちるけど　水の中では
なしたら　上に上がるでしょう。それなら　ボールは軽いの？　重いの？」

「うん　そうね　煙だって　重いときもあるわ。冷たい煙は　上に上がらないもの」

「ふうん　じゃ　煙は重いの？　軽いの？」

「待ってよ　レ　重いとか軽いとかって言うけど　ほんとに重いものって　何？」

「うん　ほらこの石とか。これなら水に沈むよ」

レは足もとにあった石ころを　ラの前に置きました。

「それなら……」

ラはその石のよこに　もっと大きな石を置きました。

「どっちの石が軽い？」

「僕のおいた石」

「でも　それはさっき　ほんとうに重いものだったんじゃない？」

「うん　別のとくらべたら　軽くなっちゃった」

「じゃ　重いとか　軽いって言っても　ほんとうに重いものや　ほんとうに軽いものはあるのかしら」

「うん　きっと　ないんだね」

「じゃ　何故〝重い〟とか〝軽い〟とか言えるのかしら」

「それは　他のとくらべるからだよ」

「うん　ねレ　さっき言ったボールが軽いのは　水とくらべるから軽いのよ」

「ふうん　じゃボールが重いのは　何とくらべるから重いの？」

「空気」

「ふうん　じゃ煙も　今は空気とくらべると軽いんだね」

「うん」

「でも　そしたら　空気も別の何かとくらべたら重いの？」

「ええ　空気もちゃんと地球に引っぱられて　重さがあるのよ」

「うん……」

ラはたき火の火を　少しかきまわしました。

火はまた　いきおいよく燃えました。

「……私もわからないわ。地球だけじゃなくて　ほら　この石も　その木も　私もレもみんな　ほんの少しだけど　引っぱる力を持っているの。でも　どうしてそうなのか　わからない」

レは　ぼんやり火を見つめました。

「ね　ねえさんも僕も　考えて行くと　さいごはいっつもわからなくなるね」

レは笑いました。

「うん　いつもね」

ラも笑いました。

「……私たち　ほんとにわかってるってこと　あるのかしら」

ラは　ひとり言のように言いました。

「うん……僕　きっとあると思うよ」

レは　いかにも簡単そうに　言いました。

「そうかしら……レは　そう思っているだけよ」

ラは　考え深げに　言いました。

「ううん　ほら」

レは火を指さしました。

そして石を指さし　木を指さしました。

「……ね　ほら　みんなここにあるのは　とても不思議でしょう」

「うん」

「どうして　こうなってるのか　ちっともわからないけど　僕　不思議だってことはわかるよ」

「……」

ラはふっと黙って　レの顔を見やり　火を見つめました。

ラが考え事を始めたので　レは黙ってまた燃えそうな小枝でも落ちてないかなと庭の中をさがしに行きました。

やがてレは　二三本の枯れた小枝を持って　戻って来ました。

「ねえさん　ねえさん」

「え？」

ラは　我に帰りました。

「ほら　火が消えそうだよ」

レは　そっと枝に火を移しました。

もう　たき火の中には燃えるものは　ほとんどありません。

レの持って来た　枯れ枝の上を火はちょろちょろと青く動くだけでした。

「これじゃ　おいもも焼けないね」

「うん　そうね」

ラはちょっと笑いました。

二人はしばらく　小さな火の動くのを見つめました。

「ねえさん　さっき　何考えたの？」

「うん……なんだか……いちばん不思議なのは不思議だなって思ってる私たちの心じゃないかしらって」

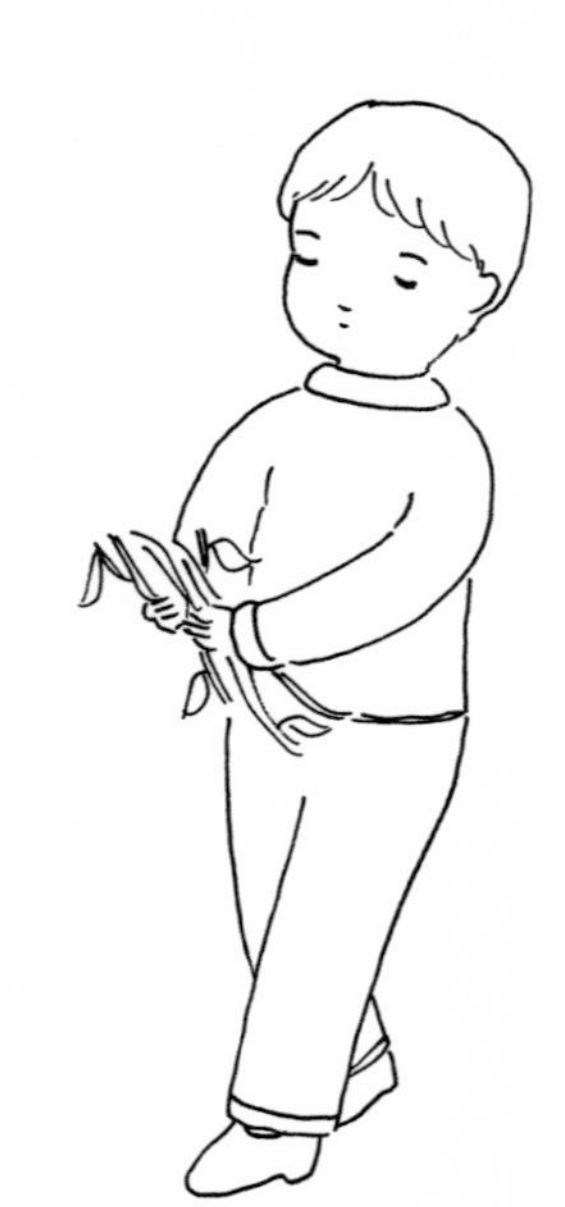

「ふうん」

「そして……ほら……よく言えないけど……ここにあるものみんな……海や空も風もみんなね」

「うん」

「うん……みんな私たちもみんながあつまって　たったひとつの大きな心のようなものになっている気がするの」

「ふうん」

レは　よくわかりませんでしたが　それ以上質問しようとは思いませんでした。

火は小枝をはじかせて　今　いちばんもえている時です。

「あ……」

「あ……」

二人は同時に空を見上げました。

雪がちらちら降ってきました。

今年もう　何度目かの雪です。

雪は　あとからあとから　降ってきます。

「ほら……土の上に　たくさん積もりそうだね」

「うん……根雪になるかしら」

「きっとさ　あしたの朝　雪　たくさん積もってるね」

「うん　きっとね」

二人は　にっこり笑って家の中に入りました。

やがて　かすかにつもった　雪の下から　消えたたき火の白い煙が昇って　落ちてくる
雪の間に消えました。

吹雪（12月のスケッチ）

その夜は　この冬はじめての吹雪（ふぶき）になりました。
窓ガラスごしに見ると　外は流れの激（はげ）しい　深海（しんかい）のようでした。
近くの街灯（がいとう）も　にじんで見えます。
のき下に　うずを巻（ま）き　雪は
煙（けむり）のようです。
（ミの山からは　どんなふうに
見えるんだろう）
と　レはふと思いました。
そして　レはだんだん　外を見
ているうちに　雪を見ているより

も見えるはずのない風そのものを　見ているような気持になりました。

＊

その夜　レはなかなか眠りにつけませんでした。
いいえ　レだけではありません。
町中のトタン屋根や窓ガラスが　叫ぶように鳴っていましたから。
でも　眠りはいつのまにかレのところにもやって来て　レは夢を見ました。

……そこは　ミの家の桜の木のそばでした。
そこから谷間が見おろせました。
レはひとりで　夜の吹雪の中に立っているのでした。
それなのに　風も雪も　レのところにはやってきませんでした。
吹雪は山の上の空と谷の中だけでした。
谷の下には　まだ家々の光がとてもあかるく　星座のように輝いていました。
桜の木が鳴っていました。
レは　桜の木を見上げました。

すると　桜の木は　くるくるくるくる風にまわっているのでした。

おや　と思って　レはもっとそばに近づきました。

桜の木は　まるで　つむぎ車のように回転して雪を次々と繰り出しているのです。

レは驚いてそれを見上げていました。

「これはね……」

いつの間にか　そばにミがいて　桜の木を指さして言いました。

「父さんが　昨日こしらえたの」

「ふうん」

レは驚いて感心しました。

「今夜の吹雪　この桜の木がつくっていたの？」

「うん　そうなの」

レとミは　からんからんと回っている桜の木をじっと見上げました。

「ね　まるで　雪の糸をつむいでいるみたいだね」

「うん」

「でも　これ　風で回っているの？」

「ううん　風も雪といっしょにつくっているの」

ミはちょっと得意そうに笑って　言いました。

「ふうん　どうやって……」

レはミをじっと見て言いました。

「……ミのお父さん　こしらえたの?」

けれども　その時ミは　何だか聞いていなかったように　黙って　桜の木を見上げているだけでした。

（ふうん……）

レはもう一度　その不思議な桜の木を見上げました。するとレは気付きました。

もう　山中の木々が　からんからんとうなりながら回転して　吹雪をつむぎ出しているのでした……

*

吹雪の夜が明けると　外は　すっかり静まっていました。

カーテンには　まぶしいほどの朝の光が当たっています。

それは新しく積もった　雪に反射して　いっそう明るいのでした。

レはさっとカーテンを開けて　目を細めました。

するともうとっくに　ラは玄関に出て　雪かきをしています。

雪は　どこもかしこも　なめらかな曲線になって　それがずうっと道の向こうまでつづいていました。

ああ　風の形をしてる　とレは思いました。

しりもち（12月のスケッチ2）

ミがよそ見していたのか
それとも　その人がよそ見し
ていたのか　それとも二人と
もよそ見していた上に考え事
をして　歩いていたからなの
でしょうか。土曜日の午後　ミがい
つものように町のパン屋さんで昼食（ちゅうしょく）の
パンと牛乳を買って外に出て角（かど）を曲（ま）がろうと
したら　あっと思う間にひっくり返ってしまいました。
雪にすべった訳（わけ）ではありません。

灰色(はいいろ)の大きなオーヴァに　ぶつかってしまったのです。

もちろんそのオーヴァには　それにふさわしい大きな人が入っていたからで　もし誰(だれ)も中に入っていなければ　ミはしりもちなんかつかなくてもよかったのですが。

でも　ミはしりもちをついて　そのオーヴァの中の男(おとこ)の人も「おっと」と言いながらよけそこなってあやうく前にころびそうになりました。

「や　だいじょうぶかね?」

その人がそう言った時には　ミはもう　半分立ち上がっていました。

なにしろ　いつまでも道路にひっくり返っているのは　みっともないですから。

ミは笑って「大丈夫(だいじょうぶ)です。ごめんなさい」と言っておしりの雪を払(はら)いました。

すると　その人もあわてたように

「いや　こっちこそ悪かったね」

と言って「あ」と声を上げました。

その人の靴(くつ)の下に　靴の下にあってはならないものがあったからです。

ミも思わず「あら」と言いました。

その人の大きな黒い靴の下には　ミの今買ったばかりの昼食が　ぺしゃんこになっているのでした。

その人はつぶれた袋をひろい上げ　中をのぞくと「ふうん」とため息をついてしかめっつらをしました。

ミは　その人があんまりしかめっつらをしたので　なんだか思わずおかしくなって　ちょっとにっこり笑いました。

すると　その人もミを見て少し安心したように　にっこり笑いました。

「すまんね……」

「いいえ　私も考え事して　歩いてたから」

ミもつぶれた袋を　のぞいてみました。

中は何が何だかわからなくなっていましたが　味までかわったわけではありません。

でも　その人は　さっそくポケットから大きなお札入れをとり出しました。

ミはあわてて言いました。

「いいんです。これでかまいませんから」

「いや　しかし　牛乳もつぶれちゃったよ」

「いえ　いいんです」

ミはお金をもらいたくなかったので　そのまま行こうとしました。

その人はお札入れをあわててしまい込み　ミの肩をたたきました。

「あなたはこれから　家の人と　食事をするのかね？」

「いいえ」

ミはちょっと　立ち止まりました。

土曜日には　ミのお父さんは家にいません。

「それじゃ　こうしよう」その人は言いました。

「私と昼食をつき合ってくれないかね？」

「え？　でも……」

「私も昼食　まだなんだよ」

「でも……」

ミは通りをちょっと見回しました。いつも来るレは　まだ来ないようです。

今日はレのそうじ当番で　きっと遅くなっているのです。

「じゃ　そうしよう」

とその人は　もうミを連れて歩き出しました。

そしてすぐ近くの　いかめしい門がまえのレストランに入りました。

＊

ミはランドセルをおろして　席につきました。そして　そっと辺りを見まわしました。

「そうだ　あなた　まだ学校の帰りなんだね」

「はい　ほんとはいけないんだけど　家に帰っても誰もいませんから」

「ほう　そうなのか」

その人は　それ以上はきこうとしませんでした。

ミが遠慮したので　その人が次々と注文しました。

そしてミの前には　見たこともないような料理が　いっぱい並びました。

「こんなに　どうしましょう」

「好きなだけ　食べて行きなさいよ」

そう言ってその人は　ナイフとフォークのつかい方を教えてくれました。

ミはなんだか初めて食べるものばかりでしたが　とてもおいしくて　ついつい遠慮を忘れてしまいました。

その人は　ちょっと時計を見やり　手帳をとり出しました。

「……あの　お忙しいんじゃないかしら」

「ああ　忙しくてね」

その人は笑いました。

「でも　忙しいことはいいことだよ」

「ふうん」

ミは半分そうかなと思い　半分違うような気もしました。

その人は　たくさんお金を持っているように見えました。

ミはレストランの大きな窓から　外を眺めました。

「私　こういう所で食べるの初めてなんです」

「ほう　そうかね」

その人は　手帳に気をとられて言いました。

そしてしばらくミが黙っているので　おや　とミを見やりました。

「どうしたね？」

ミは外の通りを　ぼんやり見ていました。

「ええ　雲がほら……」

「え？」

その人も通りを見やりました。

「……雪の上に青い影を落として走って行くの……」

「ああ」

その人はそれをちらと見やり　また手帳に何かを書き込みました。

ミはその人を見つめました。

「どうしたね？」

その人は笑って　ミを見ました。

「それ……とっても大切な手帳なんですね」

「ああ　これかね　そうだよ」

「それ……」

「……ん？　何？」

「やっぱり……雲や風より大切なのかしら……」

その人は笑いました。

「うん　それはそうだよ　私にとってはね」

「ふうん」

その人は時計を見ました。

「それじゃ悪いけど　私は行かなくてはならないんだ。でもあなたは　好きなだけ　ここにいていいんだよ」

「でも……私　こんなにごちそうになって　すみません」

「いいや　さっきは　ほんとに悪かったね」

「いいえ　私こそ……」

ミは急いでランドセルを開けて何かないかとさがしました。

そしてノートをとり出し　そこにはさんであった　紅葉した小さなかえでの葉をとり出しました。

「私　何のお返しもできないから」

「ほう　しおりかね?」

「ええ」

その人は受けとって　自分の手帳にはさみました。

「ありがとう　じゃ　さようなら」

その人は急いで出て行きました。

なんだかどことなく　うしろ姿がファおじさんに似ていました。

＊

次の日の朝です。 レは居間の机の上にあった手帳から 何かはみ出しているのをみつけて そっと開いてみました。

すると それは紅いかえでの葉でした。

レは お父さんが自分の手帳にこんなものをはさんでいるなんて とても 不思議に思えました。

クリスマス（12月のスケッチ3）

クリスマスまであと五日です。

レとラは　クリスマスツリーにつかう樅の木を買いに　町の中へ来たところです。

レはちらちら降って来る雪を見上げて　肩に積もった雪を払いました。

「ね　僕ら　山に行って　ちょうどいいの　伐ってこようか」

「ううん　勝手には　伐れないのよ」

「ふうん　それなら　山の木全部に　そのまま　飾りをつけたら　町の人みんなが見られるのに」

「ええ　そうね……」

ラはちょっと笑いました。

「そしたら　ほんと　夜もきれいね」

「うん」

小さなテントが並(なら)んだ　その中に　いろいろな大きさの樅(もみ)の木が並んでいました。

二人は　かついで帰れるくらいの　大きさのを買いました。

レは　できるだけ大きいのが欲しかったのですが　ラが値(ね)だんを聞いて首をふりました。

「そんなに　お父さんからお金もらってないもの」

「こんなに大きいの　誰(だれ)が買うんだろう?」

「そうね　どこかの　お店屋(みせや)さんが飾(かざ)るのかもしれないわ」

「ふうん　そうだね」

買った樅の木は「もたせて」とレが言って　ほとんどレだけがかつぎました。

二人はまだあちこち　テントをのぞいてみました。

人がたくさんいました。

「他の人に　それぶつけないでね」

「うん　わかってる」

そう言って　ラの方を向いたとたんに　樅の木が　他の人にぶつかりそうになりました。

「ほら　レ」

「うん　気をつけるよ……あ」

レは立ち止まって　指さしました。

「ほらあそこ　何売ってるんだろう」

テントのいちばんはずれに　テントも何もなく　台だけの店がありました。

「誰もあそこに　寄らないみたいだね」

二人は　なんとなく　そこへ行ってみました。

するとㅤ台の上はもうすっかり雪が降り積もっていてㅤ何を売っているのかわからなくなっていました。

でもㅤその店にはㅤちゃんとかさをさしたおばあさんがㅤ店番をしているのでした。

おばあさんは二人が前に来たので「いらっしゃい」と小さな声で言いました。

レはきいてみました。

「おばあさんㅤ何売っているの？」

「何売っているの？ㅤ何売っているの？ㅤ赤いのや緑色の」

おばあさんはㅤうたうように言いました。

ラとレはちょっと顔を見合わせました。

「ふうんㅤ何が赤や緑色なの？」

ラがききました。

「赤や緑色はローソクだよㅤ金色ㅤ銀色はㅤこまねずみだよ」

おばあさんはまたㅤうたうようにㅤそう言いました。

ラとレはㅤ顔を見合わせました。

「おばあさんㅤこまねずみも売っているの？」

「こまねずみはㅤローソク持ってㅤお家に帰ったんだよ」

「ふうん……」

ラとレは　また　顔を見合わせました。

そして　その時　二人は同じことを目で言い合ってうなづきました。

「ね　おばあさん　ローソク下さい」

レが言いました。

「ローソク……ローソク……欲しいのかい？」

おばあさんはふっと我(われ)に返ったように　にっこりして　オーヴァのポケットから手を出しました。

そして　雪の積もった台の上を　指差(ゆびさ)しました。

「何色？　何色？」

「うん　僕は……もしかして　金色のなんてある？」

「さあおとり　自分で」

「え？」

レはちょっととまどって　台の上の　雪の中に手を入れました。

すると　手に何かさわったので　つまみ出すと　それは金色のローソクでした。

「ふうん……」

レは驚いて　思わず白いため息をつきました。

「じゃ　私も下さいな」

ラも言いました。

「何色？　何色？」

ラはさっきから思っていたらしく　すぐ言いました。

「空色で　虹が入っているの　あるかしら」

「さあおとり　自分で」

ラはレと同じように　台の雪の中に手を入れました。

すると　ほんとうに　虹のついた空色のローソクが出て来ました。

「ああ」

驚いたのはレの方でした。

ラはにっこり笑いました。

「あ　僕もそんなのにすればよかった。ね　おばあさん　もう一本下さい」

「もうだめ　誰でもひとりひとつだけ。大切なものはひとつしかない」

「ふうん……」

レはちょっと　がっかりしました。

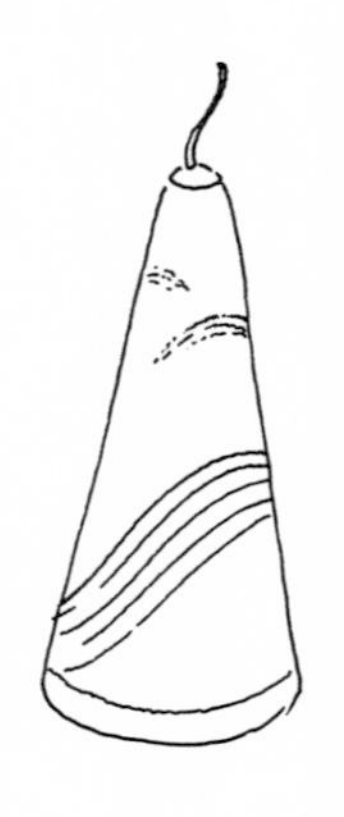

ラは言いました。

「これで　おいくらなのかしら?」

「おいくら……おいくら……」

おばあさんは首をかしげ　かさをくるりとまわしました。

そして言いました。

「左のポケットに入っているだけでいい」

二人とも　左のポケットに手を入れました。

すると　ラもレも今持っているお金のぜんぶが　そこに入っていました。

二人は　顔を見合わせました。

それから　それをおばあさんに差し出しました。

「はい　はい」

おばあさんはそれを受けとって　大切そうにポケットにしまいました。

ラとレはさようなら　と言ってそこを離れました。

しばらくしてふり返ると　そこには　やはり誰も立ち寄ってはいませんでした。

「ね　僕　今月のおこずかい　みんななくなっちゃった」

ラは笑いました。

「でも　レ　もうほとんど残ってなかったじゃない」

「うん　そうだけど。ねえさん　ずい分持ってたね。もったいなかったでしょう」

「うん　ちょっとね」

ラは笑いました。

そして二人は　手にしたローソクをもう一度眺めて　それから大切にオーヴァのポケットにしまいました。

そして不思議なことに　二人とも家に帰りつく頃には　ローソクのことはすっかり忘れていました。

ローソクはずっと　二人のオーヴァの中にありました。

*

ふと　レは授業中に思い出したように小声で　ミに言いました。

「ね　ミ」

「え？」

ミはレを見ました。

「明日(あす)のクリスマス　僕の家に来ない？　大きなツリー　あるんだ」

「うん　ありがとう」

ミはうれしそうに　にっこりしました。

「でも　父さん　ひとりになってしまうから　私　家にいるわ　明日は」

「ふうん……」

レはミを見ました。

「そうだね」

すると　先生がいつのまにかやって来(こ)られて　大きくせきばらいをしました。

二人は驚(おどろ)いて　きちんと　姿勢(しせい)を正(ただ)しました。

みんな　くすくす　笑いました。

今日で　二学期はおしまいです。

*

やがて　クリスマスの夜が　やって来ました。
家の中で　樅の木は　きれいに飾られて立っていました。
レもラも　なんだか　いつまでも見飽きませんでした。

さあ　二人とも　もう寝なさい　とお父さんに言われてふたりは　二階へ上がりました。

「ね　今夜　とうとう来なかったね」

「うん」

二人は階段を上りながら　言いました。

レもラも　ファおじさんのことを言ったのです。

レはふと　踊り場のところで立ち止まりました。

「ね　もしかしたらさ　ファおじさん　ほら　ねえさんの誕生日の時みたいに　ボートに乗せてくれるのかも知れないよ」

「ふうん　でも」

ラは笑いました。

「また　ボートに乗ったら　今度は風邪じゃすまないわよ」

「うん　そうだね」

二人はおやすみと言って　それぞれの部屋に入りました。

レはベッドにすぐ入りましたが　なかなか眠れませんでした。

レは思いました。

（……でも　きっと　ファおじさん　何か贈り物くれるはずだよ。今年だけ　何もなし
なんて　あるかなあ……）

レは天井を見たり　カーテンの光をみたりしました。

でも　何にも起こりそうな気配はありません。

レは起き上がって　窓の外を見たり　耳を澄ませたりしました。

そうして　がっかりしてため息をつきました。

レは　ちょっと壁をたたきました。

「ねえさん　眠った？」

「うん　眠ったよ」

ラがとなりの部屋で言いました。

「眠ってるのに　なんで返事してるの？」

「レが尋くからよ」

「どうして　ねえさん眠らないの？」

郵 便 は が き

〒101-0064

東京都千代田区
神田猿楽町2-5-9
青野ビル

（株）**未知谷** 行

ふりがな	お齢
ご芳名	
E-mail	男

ご住所 〒	Tel. - -
ご職業	ご購読新聞・雑誌

愛読者カード

ご購読ありがとうございます。誠にお手数とは存じますが、
アンケートにご協力下さい。貴方様の貴重なご意見ご感想を
賜わり、今後の出版活動の資料として活用させて頂きます。

●本書の書名

●お買い上げ書店名

本書の刊行をどのようにしてお知りになりましたか?

書店で見て　　広告を見て　　書評を見て　　知人の紹介　　その他

本書についてのご感想をお聞かせ下さい。

ご希望の方には新刊書のご案内をさせて頂きます。　　要　　不要

信欄(ご注文も承ります)

「だから　眠ったの」

ラのねがえりをうつ音が　かすかに聞こえました。

レはまたベッドに入って目を閉じました。

すると　しばらくして壁がとんとんと鳴りました。

はっとして目を開けると（もちろん　レは目を閉じていただけで　まだ眠ってはいませんでした）となりの部屋からラの声がしました。

「レ　眠った？」

「うん　眠ったよ」

「じゃ　何故返事してるの？」

「これ　僕の寝言さ。ねえさんまだ起きてたの？」

「いいえ　私も寝言よ」

レはちょっと笑いました。

「ね　ねえさん　ファおじさん今夜何かしてくれると思う？」

「レ　そんなこと考えてるから　眠れないのよ」

「ふうん　そうか」

「私たち　ちゃんと眠らないと　ファおじさん　何も出来(でき)ないのよ」

「ああ　そうか。でもねえさん　どうして眠れないの？　やっぱり　僕と同じで……」

「私のは寝言。だから寝言に話しかけないで」

それっきり　ラの部屋は静かになりました。

レもしかたなく　黙って目を閉じました。


それからどれくらい時間がたったでしょう。

レはもう　とうとう夜明(よあけ)になっちゃったと思いました。

でも夜光時計(やこうどけい)を見ると　さっきから　まだ三十分しかたっていません。

ふうん……

レはがっかりして　ため息をつきました。

すると　ラの部屋からも小さくため息の音がもれて来ました。

レはちょっとにっこりしました。

「ねえさん　まだ起きてたの？」

ラはもう一度　ため息をついて黙っていました。

レはまた目を閉じました。

また　ずい分と時間がたったような気がしました。

でもレはますます眠くありませんでした。レはがまんして目を閉じていました。

すると　となりの部屋でラが壁を小さくたたきました。

「レ　もう眠ったの？」

レはわざと黙っていました。

「眠ったの？」

ラはもう一度言いました。

レは笑うのをこらえて　黙っていました。

するとラの部屋のドアの開(ひら)く音がして　やがてレの部屋のドアがそっと開きました。

レはすうすうと息をたてて　眠ったふりをしました。

「ふうん……いいな……」

ラはそっとつぶやきました。

「……私なんか　ちっとも眠れないのに……」

ラはレのそばに来て　ほんとに眠っているのか　のぞき込みました。

レはゆっくりと息をして　なんとか眠ったふりをしました。

ラはそれからしばらく黙っていました。

レは笑い出したいのをこらえていましたが　ふと　ラは何をしているのだろうと　うす目を開けて見ました。

するとラは窓のところに立って　カーテンのすき間から外をじっと見ているのでした。

レのこらえていた笑いが　急にしぼんで消えました。

（ねえさん　何みてるんだろ……）

レはそっとそちらを見やりました。

別に変わったことはなさそうなのですが……

レは起き上がりました。

「ねえさん　何見てるの？」

ラははっとしてふり返りました。

「驚いた……レ　起きたの」

「ううん　さっきから起きてたんだ」

レは笑わずに言いました。
それよりもラが何を見ていたのか　知りたかったのです。
「何見てたの　ねえさん」
すると　ラはほら　というふうにカーテンをさっと開けました。
レは思わず床に下りて　窓のそばに寄りました。
レもラもああやっぱり　と思って窓の外を見つめていました。

＊

二人とも　冬だということをすっかり忘れていました。
今　あの不思議な洪水が窓の外に広がっていたのですが　それは　すっかり凍って　鏡のようになっているのです。
レは鍵をはずして　窓を開け

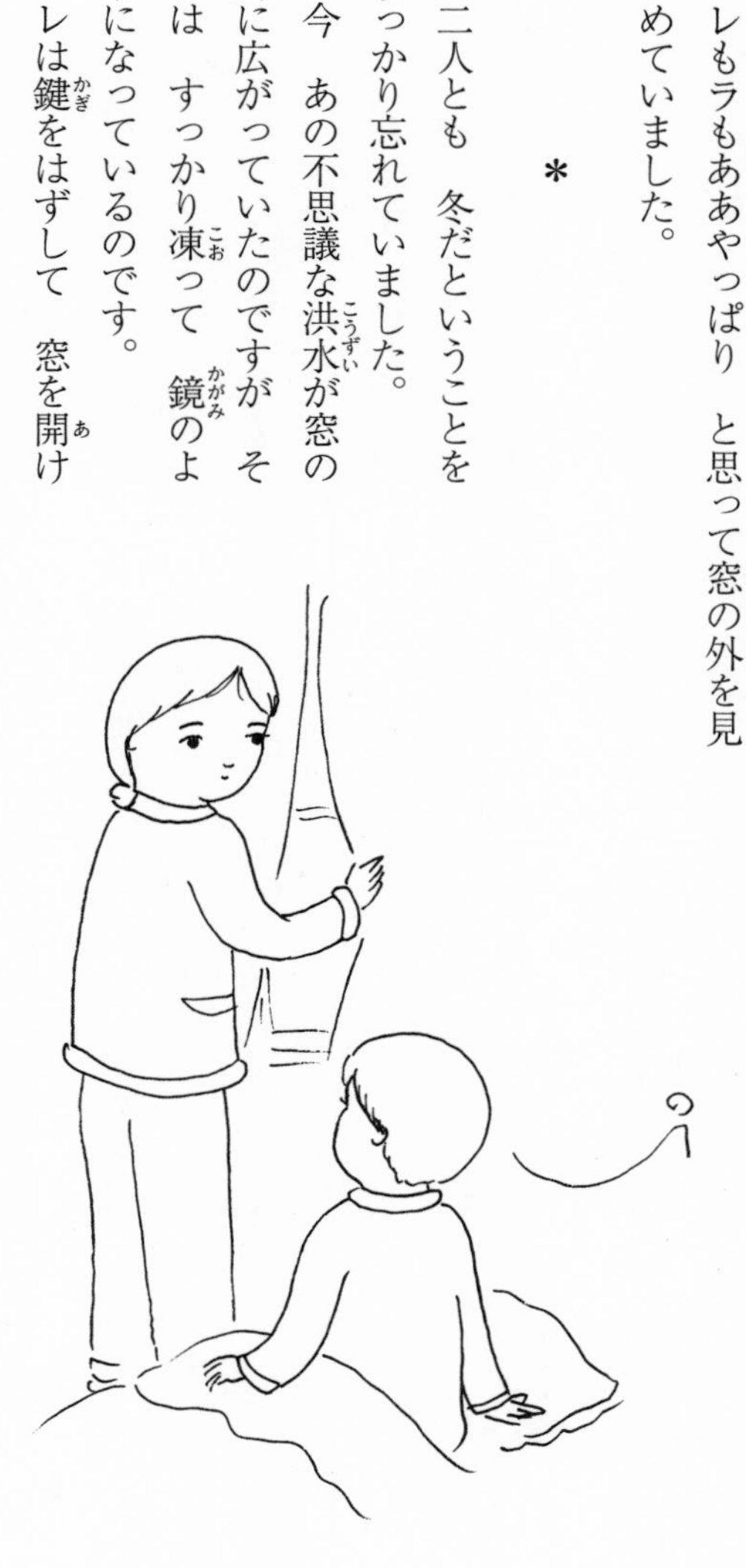

ました。
とてもつめたい空気が二人のまわりにおしよせ　二人とも思わず身をちぢめました。
こう　こう　と海の音がかすかに聞こえます。
「あ……氷の下　ちゃんと雪がつもって　ほら　枝が風にちょっと動いてる」
レはそう言って　指で氷にさわってみました。
空には月はなく　星の明りだけが　降っていました。
氷は　町の上をはてしなくつづいているように見えました。
「そうだ　ねえさん　これスケートにのるんだよ」
「え？　ああ　そうなのね」
ラは我に返って　うなづきました。
「でも　このままじゃいけないわ。ちゃんとオーヴァにマフラーに帽子に……」
けれど　もうレは着がえを始めています。

＊

やがて　ラとレはしっかり防寒の服装をして　その鏡みたいな洪水の上にのっかりました。

「僕　今年スケートはじめてだよ」

「ええ　私も」

「あれ……なんだか……ほら」

レは氷をスケートで　こんこんとたたいてみました。

すると　それはとてもよく響きました。

「なんだか　下いっぱいにひびいてるね　この氷」

レがもう一度たたこうとしたので　ラはあわててやめさせました。

「レ　割れたら大変よ」

レは驚いて　やめました。

二人は手をつないで　ずうっとすべって行きました。

足の下はまるで氷がないみたいに　思えます。

「なんだか空気の上　すべってるみたい」

「うん　風みたいね。私　下なんか見てられないわ」

ラはじっと　前の方を見ていました。

レもそうしました。

そして　どのくらい来たかな　とうしろをふり返ると　いつのまにかレの家は　すっか

り氷の下でした。

「やっぱり　おかしな氷だね　これ」

「ええ　ほんとね」

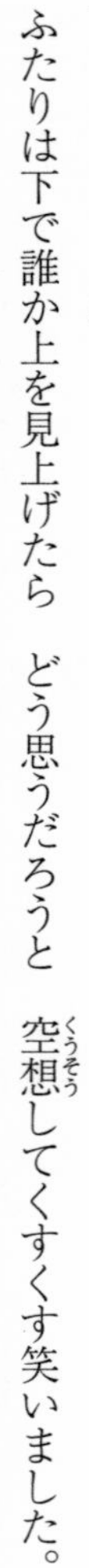

ふたりは下で誰か上を見上げたら　どう思うだろうと　空想（くうそう）してくすくす笑いました。

でも　こんな寒い夜中に　下を歩いている人は　誰もいませんでした。

ラとレは風を切ってすいすいすべったので　すぐに街の真中まで来てしまいました。

氷の下の街は　ところどころ明るいネオンもありましたが　灯りのないところがほとんどです。

「もう　どこも眠っているね」

「ええ　それに今日はお休みだし」

二人は氷の下をおそるおそる　ずうっと見渡しました。

灯りはほんとうに少なく　星と道の街灯の光があるだけです。

「ほら　ファおじさんの丘も　みんな真暗だよ。ファおじさんも　眠ってるんだ」

「ふうん　ファおじさん　ほんとに眠ってるのかしら……」

するとどこいらからか　かすかに音楽がきこえてきました。

二人はおや　と耳を澄ましました。

「……ワルツみたいな音楽だわ」

それがだんだん近づいて来ます。

レがラのそでをひっぱりました。

二人は驚いて辺りを見まわしました。

いつのまにか　あちらからも　こちらからも　たくさんの人がスケートにのってすべって来るのです。

みんな二人一緒になって　手に手に光るものを持っています。

「あ　みんな　ろうそく持っているよ」

「この音楽　〝きよしこの夜〟だわ。でも　ちゃんとワルツになってる……」

ラは不思議そうに耳を澄ませました。

「ね　町の人　どうしてこんなにここにやって来れたの？」

「私たちと同じよ。わからないわ」

ラとレも手をつないで　みんなのところへすべって行きました。

すると町の人たちは皆　いちばん親しい人と　親し気に手をとり合いながら　手に手にろうそくをかざしていました。

「ろうそく　僕たちも持ってくるとよかった」

「あ……ほら　あのろうそく　オーヴァに入ってるわ」

レも思い出しました。

ラはポケットから虹の入った空色の　そして　レは金色のろうそくをとり出しました。

するとそれは火もつけないのに　明るく燃え出しました。

「まだ買い忘れた人は　いないかね」
うしろで声がしたのでふり返ると　そこに　あのろうそく売りのおばあさんが　椅子（いす）に
すわったまま　氷の上をすいすいすべって来ました。
そのオーヴァのポケットには　まだたくさんローソクが入っています。
「おばあさん　どうして椅子にすわったまま　すべれるの？」
レは　驚いてききました。
すると　おばあさんは　日傘（ひがさ）をくるくるとまわしました。
と　おばあさんも椅子ごと
くるくるまわりました。
「くるくる　わたしが
まわっても
くるくる　地球（ちきゅう）が
まわるので
まわる　わたしは
止まってる
くるくる　まわらぬ

あんたがた
あんたがたこそ
まわってる
とまりたければ
まわりなさい
まわりたければ
止まりなさい」
おばあさんは　歌いました。
その　日傘やオーヴァには　鈴がいっぱいついていて　いっせいにちりちりとすずしく
鳴りました。
あの日のみすぼらしい服とはずい分ちがいます。
おばあさん　ずい分お金をもうけたみたいだと　レは思いました。
おばあさんはまた　歌いました。
「お金もうけは
ねずみのしごと
いつのまにやら

　ふえにふえ
いつのまにやら
　いなくなる」
おばあさんは　いつまでもくるくるまわっています。
「金や銀は
　こまねずみ
赤や緑は
　はりねずみ
白いばかりは
　白ねずみ
なんにも色なし
　透明（とうめい）ねずみ」
「おばあさん　透明ねずみも　売っているの？」
レが思わずききました。
「欲（ほ）しけりゃ
　売ってもいいけれど

あんたの
　持っていないもの
それを
　あんたが持ってたら
それと
　交換してやろう」
「それじゃ　交換できないよ」
（レは思わず歌って言いました）
「それじゃ
　ざんねん　さよならね」
おばあさんは　くるくるこまねずみのようにまわりながら　鈴の音と共に　町の人々の間に消えて行ってしまいました。
レとラは不思議そうに顔を見合わせて　またすべって行きました。
みんな　うっとりと手をとりながら　音楽に合わせて　踊りながらすべっています。
どうしてみんな　こんなに上手にすべれるのかわからないくらいに。
そして　手に手にローソクを持って。

「ね　みんな　おばあさんのローソク買った人たちなんだね」

「ええ　そうね　きっと。でも　買った人がこんなにたくさんいたのね」

「ファおじさんも　いないかな」

二人は　みんなのローソクで明るくなった氷の上をさがしました。

（おや……あれは……）

レは　向こうを見つめました。

そして　手を振って「ミ」と呼びました。

でも　ミは　お父さんと手をとりながら　すうっとすべって人々の間に消えました。

「……ああ　気付かなかった」

「ええ　そうね……あら？　むこうへ行く　あの人……」

二人は　そちらに向かって行きました。

「……なんだか　ファおじさんみたいだ」

「となりにいる女の人は？」

「お母さんに似てるわ」

「まさか……あれっ」

二人は同時に気がつきました。

その人は　ファおじさんではありません。

ラとレのお父さんではないでしょうか……

（お父さんとファおじさんは　兄弟なので　うしろ姿がよく似ているのです）

「お父さんとお母さんがここにいる訳ないよ」

「ええ　でももしおばあさんのローソク買ったのなら　そうなんだわ」

レは　お父さんが　あのおばあさんのところへ立ち寄ってろうそくを買うなんて　なんだかとても信じられませんでした。

でも二人が追いつくと　それは　ほんとうに　お父さんとお母さんなのでした。

「お父さん」

「お母さん」

二人は笑って　呼びかけました。

でも　お父さんもお母さんも　何やら親しそうに　話していて　他のことには何も気付かない様子(ようす)です。

そしてそのまま　腕(うで)を組んで楽しそうに　人々の間に消えてしまいました。

「おかしいねえ」

レはぽかんとしたように　言いました。第一　レはお父さんとお母さんがあんなに親し気にしているのを見るのは　はじめてでした。

「ほんとにおかしいわ。みんな仲よく夢(ゆめ)でも見てるみたい」

そうろくの光はどんどん多くなって来て　もう氷の上は音楽に合わせて踊(おど)る人々でいっぱいです。

「売り切れ　売り切れ」

どこか人々の間から　おばあさんの歌うような声がしました。

ラとレは顔を見合わせて　にっこりしました。

「私たちも　ちょっと踊ってみましょう」

「うん」

すると　二人のスケートは　勝手(かって)にくるくる踊り出しました。

「……くるくる　まわる
あんたがた
あんたがたこそ
止まってる……」

どこか遠くで　おばあさんの歌う声が聞こえました。
レはくるくる踊りながら　言いました。
「ああ　僕　こんなにうまく　すべったのはじめて」
「うん　私も　こんな風にすべれたらなって　前から思ってたわ」
二人とも笑いました。
すると手に持っていた　ローソクが大きく輝き出しました。
みんなのローソクもそうです。
洪水のリンクの上は　一瞬　昼のように明るくなりました。
と　あちらこちらから　ヒュルルヒュル　ポンポン　と　花火が打ち上がりました。
ラとレのローソクからも　いきおいよく花火が　打ち上がりました。
二人は驚いて　空に広がった色とりどりの花火を見上げました。
氷の上にも空の花火が　くっきりとうつりました。
けれどもそれは　ほんの二三秒のことでした。
「ああ」というみんなの声がおわらぬうちに　辺りは元のように突然暗くなり　やがて
しんとなっていました。
「あら……」

「あれ……」
二人は辺り(まわ)を見回しました。
いつのまにか　氷の上には　レとラだけが　とり残されていました。
他の人たちは　もう誰もいません。
すっかりしんとして　遠くでかすかに　海の　こう　という音がきこえるだけです。
「もうみんな　帰ってしまったの……」
「ええ　きっと……そうね……」
二人はもう一度　不思議そうに辺りを見回しました。
するとその時　レの鼻(はな)の頭に冷たいものが　ふわりと落ちました。
「あ」
レは空を見上げました。
ラも空を見上げました。
ラのひたいにも　冷たいものが落ちました。
雪が　あとからあとから　降(ふ)り始めました。
「ほら　ねえさんごらんよ」
レが驚いて　指差(ゆびさ)しました。

すると　雪はみんな氷の表面からその下へと　すりぬけて行くのです。
まるで水の中に雪が入って行くようです。
二人はなんだか　ほんとうに　宙に浮いているような気がして　急いで家の方へ帰りました。

ラとレがそれぞれの　部屋に戻ると　もう外はすっかり雪の幕におおわれています。
もう　見えないのは氷だけではありません。すぐそばの街灯すら　やっとかすかに見えるくらいです。
やがて　レとラがベッドの中で目を閉じると　どこか遠いところで　かすかにたくさんの鈴の音がしているような気がしました。
（まだ　あのおばあさん　いるのかな……）
でもそれは　まるで雪の降る　音のようにも思えました。

*

「おや　おかしいな」
次の朝　お父さんはオーヴァの左のポケットをさぐって言いました。

そして他のポケットも　念のためさがしました。

「へんだぞ　どこにもない」

ラとレが目を覚まし　階下がさわがしいので降りて行くと　お母さんもオーヴァのポケットをさぐっています。

「おかしいわ　私のおさいふが……」

「わたしのさいふも　どっか行っちまった」

お父さんも言いました。

レとラは顔を見合わせて　くすりと笑いました。

「だって　おとうさんもお母さんも　あのローソク買ったでしょう?」

レは言いました。

「あのローソク?　何のことかね?」

お父さんは　レを見て言いました。

「だって　きのうの夜　お父さんもお母さんもローソク持って　スケートしてたでしょう?　忘れたの?」

お父さんもお母さんも　変な顔をして　レを見やりました。

「まあ　そんなこと言って」

「お前さんは　またおかしな夢の話をはじめるのかね」
レは驚いて黙(だま)りました。そして　ラをみやると　ラはちょっとため息をついて口もとだけで笑いました。
「おや　何だこれは」
お父さんは　ポケットから何かとり出してちらとみやり　くずかごにすてました。
レはお父さんが行ってから　何だろうとそれを　とり出してみました。
そして　それをラにみせて　二人でにっこり笑いました。
それは　もうすっかり小さくなってしまった　ローソクの残りでした。

＊

その日の昼近くに　郵便屋(ゆうびんや)さんが　外の郵便受けに手紙を入れました。
レはそれをみつけて　さっそくとりに行きました。

「あ　ファおじさんからだよ」

レはラのところにもって行きました。

レとラと二人あてになっているのです。

さっそく開いてみると　中に　クリスマスカードが入っていました。

〝ラとレへ
しばらく用事で　遠くの町に来ているんだ
だから今年(ことし)の　プレゼントは　これだけだよ
　　　　　　　　　　　　　　　　ファ〟

(ふうん　ファおじさん　留守だったの)
二人は　クリスマスカードの絵をみて　おや　と思いました。
そこには　スケートにのったラとレの姿が　ファおじさんの水彩画(すいさいが)でかかれているのです。
二人とも絵の中で　やはりローソクを持っています。
「ね　ファおじさんの〝これだけ〟って〝このクリスマスカードだけ〟って意味だと思う?」

レはラに聞きました。
「いいえ　きっとちがうわ」
ラは考え深げに　言いました。
「うん　僕もそう思った」
そして二人は　きのうのローソクののこりといっしょに　それを特別のひき出しに　しまいました。
いつか　お父さんやお母さんのように　このことをすっかり忘れてしまわないようにと。

夢（大晦日のスケッチ）

「なんだか　信じられないわ」ミは言いました。

二人は　すっかり　雪にうもれた山の道を歩いていました。

そこは　ミとレが　いつもよく通る道です。

「何が？」レが尋きました。

「ほら　ここが夏　あんなに草が生い茂って　花もたくさん　木の葉も青く光ってたなんて」

今はただ一面　雪がまぶしいほどに青いかげをつくっています。

「うん……でも　夏になると　やっぱりこんなふうに　雪にうもれてるのが信じられないんだ」

「うん　そうね」

ミはふと思い出して言いました。

「レ　いつか　この冬の中に夏がかくれてるって言ったの　覚えてる？」

「ふうん　そう言った？」

レは首をかしげて　笑いました。

「うん」

ミも笑いました。

「ふうん……ねえさんはね　全部が心の中にあるんだって」

「私たちの？」

「ううん　僕たちの心より大きいの。僕たちの心もそこに住んでいるの」

「ふうん……」

ミは　考えるように言いました。

「……私　ときどき思う」

「何？」

「心の中を　ずうっと行くと　どこへ行くのかしら……どこまでも　どこまでも　行けるみたい」

「ふうん」

レはそんなことを思ったこともなかったので　黙って雪の上を見ていました。

雲の影が　青く　ゆっくりと　動いていました。

「ほら」

「うん」

しばらく二人とも黙って　雲の影の動いて行くのを　見ていました。

やがて　レが言いました。

「今　僕思ったんだ」

「何？」

「僕たち今　雲の影　見てるでしょう」

「うん」

「なんだか　ミも僕も同じものみて　やっぱり同じようにいいなって思うのは　とっても不思議だと　思ったんだ」

「ふうん」

ミも　なんだかレの言うことがわかりました。

「きっと　ほんとは　みんな心の奥は　つながってるんだわ」

雲の影は山をゆっくりとのぼって行き　やがて山の頂（いただき）ですうっと消えました。

＊

「何したの？」うしろで声がしました。

「え？」

レは　玄関の扉を開けようとして　ふり返りました。

すると　うしろに　ラが　いました。

「すっかりぬれてる　おしりのとこ」

「あ」レは　体をねじってみました。

「ずっと　すべってたの　山で」

「そり？」

「ダンボール」

「ふうん　お母さんに見つからないうちに　着替えた方がいいわ」

「うん　そうする」

レは　急いで　長ぐつをぬぎました。

すると　長ぐつの中も　雪で　いっぱいでした。

「これも　乾かさなきゃ」

レはすっかり雪を払って　そのまま

長ぐつを自分の部屋に持って行きました。

　レが着替えを終わるとノックがしてラが顔を出しました。

「さっき　私　言い忘れた」

「何？」

「知ってる？　ファおじさんの新しい手袋」

「ううん　どうしたの？」

「クリスマスの贈り物」

「ねえさんの？」

「いいえ　レのよく知ってる人」

そう言って　ラはドアを閉めて行ってしまいました。

ふうん……　レは思いました　……何も　言わなかったな　ミ……

レは　窓から山をみやりました。

日が暮れるのが早く　山はもうすっかり　影に入っていました。

その夜　レは短い夢を見ました。

……何だか　辺りはやわらかく光っています。

けれども空には星が出ていて　夜のようです。

レは何が光っているのだろうと　かがんで顔を近づけました。

それは大きな　透きとおった花が咲いているのでした。さわってみるとその花は氷でした。

驚いてレが歩いて行くと氷の花はだんだんと色をかえながら　ますます丈高く　花をひらきました。

氷の中には　火が燃えていました。

おや……ふとレは　むこうにラがいるのに気付きました。

ラは花にかがみながら　何かを集めていました。

レは何をしているんだろうと近づいて行きました。

すると　レの行く手に氷の花が次次と咲き乱れ　レはもうそれ以上進むことが出来ません。

レは道を変えました。

するとやはり　ラに近づこうとすると氷の花が次々と咲いて　レの行く手を阻むのでした。

レは何度やっても進めないので　とうとうあきらめました。

すると　一所の花だけが次々としぼみ始め　細い道が出来ました。

そしてその道のむこうから　ラがひとりゆっくりとやって来ました。

ラが立ち止まると　また　道は　氷の花におおわれました。

「ねえさん　何をしていたの?」

すると　ラは黙ってそばにあった氷の花の中にゆらめいている炎をとり出して　手のひらにのせました。
レは驚いて　それを見つめました。
すると　何だかその炎は　言葉のようにはっきり何かを語っているように思えました。
レは何か　はっとする思いでそれを見つめました。
その時レは　ふっと目が覚めました。
ラの部屋のドアのしまる音がして　階段を降りて行く音がしました。
（……ああ　ドアの音で　目が覚めたんだ……）
やがてレが眠るころ　どこか遠くで鐘がひとつ鳴りました。
もうじき　大みそかです。

時（大晦日のスケッチ2）

「終わりが始まりで……始まりが終り？」

「そう」

ラとレは　今夜だけ　遅くまで起きています。

いつもなら　お父さんやお母さんにしかられるところですが　今夜だけは特別です。

大晦日でしたから。

「僕　いつも思うんだけどさ」レは言いました。

「何？」ラが尋きました。

「夜のちょうど12時って　今日なの？　明日なの？」

「うん　私もいつもそう思う」

「ふうん　ねえさんは　どっちだと思う？」

「うん　きっとね……」ラは考えました。

「……ほんとは　12時なんてないんじゃないかしら」

「え？　どうして？」

「だって　時計をじっと見てて〝あ　今ちょうど12時〟って思ったときには　もう12時をほんのわずか過ぎちゃったでしょう。だからそれはもう〝明日〟。〝あ〟って思ったとたんだってほんとはもう明日になってる」

「うん　そういえばそうだけど……」

「だから　終わりが始まりで　始まりが終わり」

「ふうん　でもおかしいなあ。そうしたら　どんな時刻もそうなって　なくなっちゃうよ。例えば　10時って言っても　ほんとの10時はないことになるね」

「うん　そうね　どんな瞬間もそれだけとり出そうとすると　なくなっちゃう」

「でも僕たち　その中にずうっと　いるんだよね……おかしいなあ」

「うん　おかしいわ」

レは暖かそうに　ストーブの火を見つめました。

レの顔にも　火の光が照りました。

「……ね　時間って　いつからはじまったの？」

「宇宙が点から始まったとき」

「宇宙　点だったの？」

「うん　それが　広がったの」

「じゃ　そのまわりには何があったの？　ずうっと　どこまでも何もなかったの？」

「〝そのまわり〟とか〝ずうっと〟とか〝どこまでも〟とか　そういうものもなかったの」

「だって　おかしいな。そんなのがないところって」

「うん〝ところ〟とか〝ある〟とか〝ない〟とかも　なかったの。〝なかったの〟っていうのも　なかったの」

「ふうん……」レは首をかしげました。

すると　レのひたいが火にあかく光りました。

「……じゃ　時間は宇宙のできる前はあったの？」

「〝前〟っていうのもなかったの」

「どうしてなの？」

「だってそのとき　時間はまだできてないんだもの。でも　私の言ってるのもおかしいわ。〝そのとき〟とか〝まだ〟なんてのもないんだから」

「なんにもないの？」

「〝なんにもない〟というのもないの」

「ふうん　おかしいなあ……　〝ある〟も〝ない〟もないとこから　宇宙と時間ができたの？」

「うん　ほんとは宇宙と時間は同じなの。私たちふだんは別々に思うけど　ほんとうは〝ある〟ことと時間は同じひとつのことなの」

「ふうん……いつからそうなったの？」

「〝いつ〟っていう時間が始まったとき……いえ〝はじまる〟ということが　はじまったときかしら」

ラはちょっとため息をつきました。

「でも私　それ以上　よくわからない。ほんとは　ファおじさんに教えてもらったんだから」

「ふうん……」

レはしばらく火を見つめて　考えました。

「でも……ずうっとそこまで考えて行くと　心が何だかどこまでも広がって行くみたい」

「うん　私もいつもそう思う」

「ね……」レはふと思いついて　言いました。

「ねえさん　いつか　心の話(はなし)したでしょう」

「うん」

「心は……いつできたの？」

「うん……」

ラはちょっと考えました。

「……きっと　心はその前からあったような気がする……」

「でも〝その前〟とか〝ある〟とか〝ない〟とかもないんでしょう？」

「ええ　でも心は　宇宙も時間も〝ある〟も〝ない〟も　みんな包み込(こ)んでいるような気がするの」

「ふうん……」

二人とも　火を見つめました。

やがて　海の音のはるかから　除夜(じょや)の鐘(かね)が鳴りはじめました。

それから二人は　黙(だま)ってそれをきいていました。

新年のあいさつ（元日のスケッチ）

「新年　おめでとう」

（え？……）

レはベッドの中で思いました。

そして元旦（がんたん）の朝のまぶしい光に　目を細めました。

レは部屋の中を見回しましたが　誰もいません。

空耳（そらみみ）かな　と思って　レはまた目を閉じ　またすぐに　眠（ねむ）ってしまいました。

*

「新年　おめでとう」
ラは　おやっと目を開けました。

うとうとしていただけで　すっかり眠っていた訳ではありません。
ラは頭をもち上げ　明るくなった　部屋の中を見回しました。
でも　誰もいません。
ラはなんだかもう　すっかり目が覚めて　カーテンを開けました。
庭の松の枝から　ふわり　と雪が落ちました。

*

「新年　おめでとう」
ミは水をすくった手を止めて　思わず「新年おめでとう」と言いました。
ミは早起きでしたから　もう　起きて顔を洗っているのです。
でも　ミは　今　誰に話しかけられたのかわかりませんでした。
「父さん?」
それにしては　全然ちがう小さな

声です。

ミは手さぐりで　タオルをとって　顔をぬぐい　ふり返りました。

でも誰もいません。

ミはしばらく不思議そうに辺(あた)りを見回しました。

＊

「新年おめでとう」

「やあ　おめでとう　ル」

青い小鳥はファおじさんの机の上に乗りました。

「私　みんなに〝おめでとう〟を言って来たの」

「ほう　そいつは　えらいね」

「そうでしょう。でも　なかなか私に〝おめでとう〟を言ってくれる人はいないわ」

「誰もいなかったのかね？」

「いいえ」

「言ってくれたのは誰だい？」

「誰だと思う？」

「そうだな」

ファおじさんは　パイプの煙（けむり）を見つめて　ちょっと考えました。

「……ミ　だろう」

「ふうん　どうしてわかった？　私　ラって言うのかと思ったわ」

「誰もレのことは考えないな」

「レはきっと　まだくうくう眠ってるわ。

そしてそろそろ　お母さんに
起こされる頃（ころ）」

「ミは何をしていた？」

「ミは……」

ルは　言いかけてふとや
めました。

そして　また外へ飛んで
行きました。

ファおじさんは窓を閉めて　さて　何か食べる仕たくをするかな　と思いました。
と　その時　ドアにノックの音がしました。
ファおじさんは　こんなに早く来るのは誰だろうと思いながら　ドアを開けました。
するとそこに　ミが立っていました。

*

「あけまして　おめでとうございます　ファおじさん」

「あ　ああ　おめでとう　ミ」

ファおじさんは　少し驚いて言いました。

ミは笑って　持って来たものを差し出しました。

「これ　父さんと私でつくったの。食べて下さい」

「ほう　わざわざ山から持って

来てくれたのかね」

ファおじさんはそれを受け取って　もう一度驚いたように言いました。

「うん　それじゃ」

そう言ってミは　あっという間に階段をぱたんぱたんとかけおりて行きました。

ファおじさんが階段の手すりから下をのぞいた時には　もうミの影がちらと見えただけでした。

それから　ミのとどけてくれたものを　テーブルの上に開くと　お正月の料理がきちんと入っていました。

ファおじさんはその前にすわり　しばらく眺めていました。

＊

（そういえば……）

ミは山をのぼりながらふと気がつきました。

（……ファおじさんの驚いた顔見たの　さっきがはじめてだわ……いっつも私の方が驚いていたけれど　今日だけ　私がファおじさんを驚かせたんだわ……）

そう思って　ミは　にっこり笑って丘をふり返りました。

夕べの会話（1月のスケッチ）

「ふうん　いいなあ……」

レはミの話を聞いて感心しました。

「僕　まだ一度も　ファおじさんを驚かせたことないよ。いっつもびっくりさせられてばかり」

「うん　私だって。きのうは特別」

「僕も何かして　ファおじさん　驚かせてみたいなあ」

レは笑って言いましたが　半分　本気で考えはじめました。

「うーん……でも　どうやったらいいと思う？　ミ」

「うん　そうね　テストでみんな百点とったら？」

「ううん　できないよ」レは笑いました。

「それに　ファおじさん　そんなのにちっとも関心(かんしん)ないんだ。きっとねえさんがぜんぶ0点とっても　ちっとも驚かないよ」

「……レのおねえさんって　ときどきしか見たことないけれど……何でも知っているみたい」

「ふうん　いつも本読んでたりするから？　でもねえさん　本ひろげたままよく　こっくりこっくり　いねむりしてるよ」

二人(ふたり)はちょっと笑いました。

「そしてね　いつも空や雲をみて　ぼんやりしているの。そして　お父さんにしかられるの」

「ふうん　何て？」

「そんなに　ぼんやりばかりしていてはいけないって」

「ふうん　どうして？」

「うん　僕もどうしてかなって思う。でも」

レは　ちょっとまじめな顔になって言いました。

「お父さんのような大人(おとな)には　僕らとちがう別の力が働(はたら)いてるんだって　ねえさんが言ってた」

「ふうん　でも……ファおじさんもよく　ぼんやり空や雲や海を見てたわ」

「うん　その力の働かない人もいるんだって　ねえさん言ってたよ」

「……私たち　どうかしら……いつか　その力の中へ入ってしまうかしら」

「うん……わからない」

レは　そう言いましたが　心のどこかでそうならないような気もしました。

ミもそんな気がしました。

「でも私……なんだか時々思うの」

ミは町の上に浮かぶ　かすかに紫（むらさき）がかった雲を見つめて言いました。

レもそれを見つめました。

「……なんだか　時々　何？」

「うん……なんだか　知らない力に流されて行くようで　時々　こわくなるの……」

「え?……」

レはミを見やりました。

「うん……何でもない」

ミは息(いき)をつくように　笑いました。

「そう……」

「でも……私の父さんはどうかしら。その力の中にいるのかしら」

「うん……」

レは　あの朝　一度だけ会った時のことをふっと思い出しました。

「きっと……僕はいないと思うよ」

「ええ　私もそう思う……でも父さんはいつも忙(いそが)しいわ。ぼんやりできないほど。仕事から帰って来たら　疲(つか)れて　何もせずにそのまま眠ってしまうこともある」

「……」

レは黙(だま)って　また雲を見つめました。

ミも黙って　雲を見つめました。

「……あの雲　自分で光っているみたいね……」

「うん　そうだね……」

「いいね」

「うん　いいね」

ふっとレは立ち上がり　雪の球をこしらえ　町の方へ力いっぱい投げました。

雪球は　林の中へ落ちました。

レはまた力いっぱい投げました。

ミも立ち上がり　同じように　力いっぱい投げました。二人とも手がだるくなるまで投げました。

「ね……ミ……」

レはちょっと息をついて　言いました。

「明日　家に来ない？」

「うん」

ミは明るく笑って　うなづきました。

＊

その帰り道　レは　ふと通りのむこうに　ファおじさんを見かけました。
でも　その姿は　すぐに人ごみに　まぎれました。
レは駆(か)けて行きました。
（あ　あそこにいる）
もう一度　その後(うし)ろ姿(すがた)を見つけた時　レはふと思いつきました。
（そうだ　今　後ろにそっと行って　おどろかしたら　ファおじさん　びっくりするかな……）

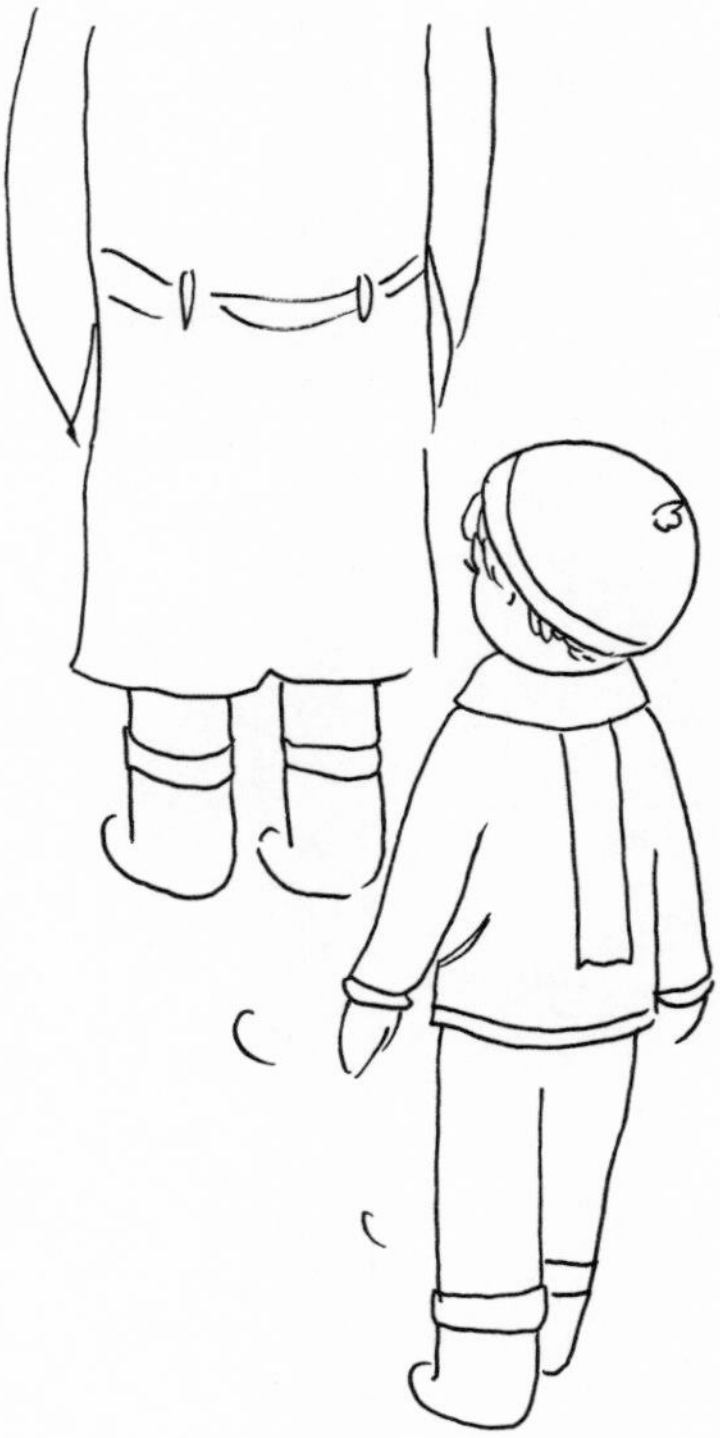

でもレは　何だかそんな事では驚かないような気もしました。

そっと後ろに近づいただけで　ファおじさんは　くるりとレの方を向いて
「何をしているのかね　レ」と言いそうな気がしました。

それでもレは何だか　どうしてもやってみたくなり　そっとファおじさんの後ろに近づきました。

でもファおじさんは　ちっとも気が付かないようです。

レはファおじさんに気付かれないうちに　早くしなきゃ　とちょっとあせりました。

そして　もう思いきり背中(せなか)を　わっと　ついていました。

するとファおじさんもわっと驚いて　雪道(ゆきみち)の上にしりもちをついてしまいました。

レはあんまりあっけないので　かえってびっくりしてしまいました。

そしてファおじさんの顔を見て　もっとびっくりしました。

その人は　ファおじさんではありませんでした。

「いたた……」レのお父さんは言いました。

レはまだ驚いていましたが　あわてて手をかしました。

「お父さん　どうしてここにいるの?」

「何?　レ?　今　何と言ったのかね?」

「うん……お父さん　どうしてここにいるの？」

「それが　お前さん　後ろでわっと驚かした息子の　最初に言う言葉なのかね？」

＊

夕食の後でレが階段を上がりかけると　下のろうかをラが歩いて行くところでした。

レは　ふと途中で立ち止まり　向こうへ行きかけていた　ラに呼びかけました。

「ねえさん」

ラは立ち止まって　レを見上げました。

「ねえさんも……ときどき何か　こわくなるようなこと　ある？」

ラはちょっと不思議そうに　レを見ました。

「……どうして　そんなことときくの？」

「うん　なんとなく……」

レはちょっと遠くを見るように言いました。

レはラが黙っているので　また階段をのぼりはじめました。

すると
「うん……ときどきね」

下で　ラがひとり言のように　言いました。
え？　とレは下をみおろしました。
でもそこにはもうラの姿は　ありませんでした。

＊

「きのうレが……」

ルは　きのうレが間違って　お父さんにしりもちをつかせたことを話しました。

「そいつは気をつけないといかんね」

ファおじさんは　まじめな顔で言いました。

「もし　そっとレが後ろに来たら　ファ　ちゃんとわかる？」

「いいや　わからんよ。やっぱりしりもちをつくだろう」

ファおじさんは　ちょっとパイプの煙にむせました。

ガラスの絵（1月のスケッチ2）

冬は　朝が遅くやって来るので　レもだんだんと　目覚めるのが遅くなりました。
けれども　今朝は　レは早くに目が覚めました。
ガラス窓がしきりとかたかた鳴っていたからです。
起き上がってカーテンを開けると　外は次第に吹雪になるようです。
レはああと　思わずため息をつきました。
今日はミや友だちと　学校のうら山でスキーをする約束だったのです。
でも　雪は夜のうちに　すっかり道路もうめつくして　とても外に出るどころではありません。今日は一日中　家からは出られないでしょう。それに　雪かきもしなくてはなりません。
その日　ラはストーブのそばで本を読み　レもそのそばで本を読んだり　窓のそばに寄

って吹雪を見たりしました。

「今年　吹雪　はじめてだね」

「ええ……」

ラもふと　本から目を上げて窓の外をみやりました。

「そうね」

レは蒸気にくもった窓ガラスを　手のひらでふこうとして　ふとやめました。

そして　ガラスのくもりの上に　一本横に線を引きました。線の中に吹雪と自分の目が二重うつしになりました。

レは線の上にスキーをしている子を描きました。

すると　それはなんだか　自分のように思えたので　そのとなりにスキーをしているミを描き込みました。

ミの胸のところにストーブの炎があかくうつってもえました。

吹雪は　それから一日中続きました。

*

レがベッドに入り　夜がすっかりふけると　吹雪の音は遠のき　やがて静かになりました。

レはしんとした夜の中で　なんだかいつまでも眠れないので　ふと起き上がり　外はどんなふうだろうとちょっとカーテンを開けました。

（ああ……）

レは思わずため息をついて　見渡しました。

雪は金色にぼうっと光り　青い影が　ところどころ　けものが横たわってでもいるように　点々とありました。

ところが　家々の屋根も　えんとつも木立ちも　何ひとつ見えないのです。

どこまでも雪野原でした。

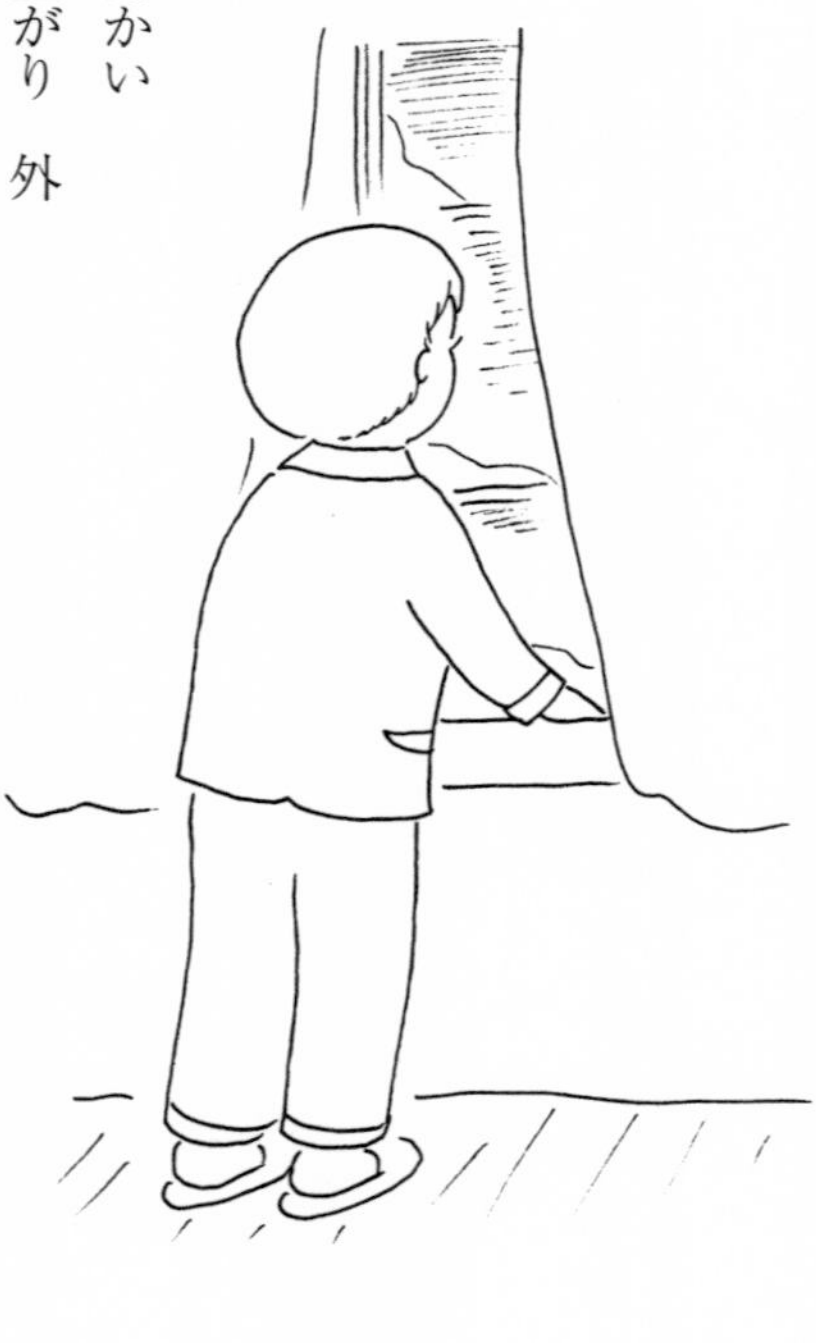

（……どうしてこんなに積もったんだろう……あの洪水みたいだ……）
レは思いました。

でも　今日は何の日でしょう。
どうして　こんなふうになっているのでしょう。
レは窓を開けて　空を見上げました。
満月がまぶしく夜空にありました。
冬の月は特別　遠く　高く　昇っていました。
（ああ　これ　スキーなんだ）
レは思いつきました。
そして　寒いのも忘れて　窓を開けたまま　壁をこんこんと　たたきました。
「ねえさん　ねえさん……」
でも返事はありません。
（寝ちゃったのかな……それとも　もう外なんだろうか……）
すると　その時　外から遠く雪をすべって近づいて来る音がしました。
レはもう一度　窓に寄りました。

（もう　ねえさん　外にいるんだ）

月の光は　くっきりと近づいて来る姿(すがた)を照らしました。

（おや……あれは……）

ラではありません。

レは手をふりました。

「ミ」

すると　ミも手を振(ふ)って近づいて来ました。

そしてすぐに窓のそばにやって来ました。

でもミは寝間着(ねまき)姿のままです。

「ミ　寒くないの？」

「うん　暖(あたた)かいわ」

「どうして？」

レはもうすっかり　寒くなって少しふるえていました。

「ほら　これ……」

そう言ってミは胸もとから　小さく燃える火をとり出し手のひらにのせました。
ミの顔も　レの顔も　その火にあかく照らされました。
「ああ」

レは驚いてそれをみつめました。

「どうしたの……それ……」

「忘れたの？　レ　みんな持っているでしょう」

「ふうん……でも　僕　持っていないよ」

レは首をかしげました。

レはすっかり寒くなって　足も手もふるえはじめました。

ミはクックックッと笑いました。

「じゃ　これ　半分あげるわ」

そう言って　ミは　両手でその火を二つに分けて　片方をレに差し出しました。

レはおそるおそる　手を差し出しました。

どうしてもそれは　やけどしそうな火です。

いいえ　やけどしそうもない火なんて　あるでしょうか。

でも　そんなことを思っているうちに　火はもうレの手のひらの上で　静かに燃えてい

ました。

すると　レの身体(からだ)からすっかり寒さが消えて　どこか奥(おく)から　とても暖かくなりました。

「ふうん　暖かい……」

「ね」

ミはにっこり笑いました。

レはミと同じように　それを胸もとに入れると　火はそのままそこに入りました。

「まるで　カイロみたいだ」

「うん」

二人は笑いました。


レはさっそくスキーをとり出して外に出ました。

雪野原の上には　レの窓のある二階だけがぽつんと出ていました。

でもどこにも　ミの山もファおじさんの丘も見えません。

「ミ　山からずうっとすべって来たの？」

「うん　だからとってもらくちんだったわ」

「ふうん」

レは不思議そうに辺りを見回しました。

雪は積もったばかりでやわらかく　ちょっとすべりにくそうでした。

けれども　すべり始めると　ちっともスキーが埋れてしまうことはありませんでした。

「どうしてこんなに　雪　積もったのかなあ……」

「あんなに　今日　吹雪いたもの」

「うん　でも……こんなに積もって　下の町の人たち　大丈夫（だいじょうぶ）かな」

「ええ　そうね　私もよくわからないわ」

二人は　いつのまにか　坂でもおりるように雪の上をすべって行きました。

平らなところなのに　ぐんぐんスピードが出せました。

「おかしな雪だね」

「うん　ちっとも　つめたくないし」

「ほら　きっとこの下　町の真中（まんなか）だよ」

「ええ……あら……」

ミは遠くを指さしました。

「あ……ほら　光ってる　あそこ」

少しくぼんだようになったところが　青く水をたたえたようになって　その中から光がのぼって来ます。

「町の光？　穴（あな）あいてるのかな」

「そうかしら……」

風もなく　辺りはすっかりしんとしています。
月の光が　ぴんぴんと　音をたてて雪の上をはねかえるようです。
二人はむこうに見えるその光のそばに近寄って行きました。
進むにつれて　なんだかそれは　オーロラのようにゆらめいているのがわかりました。
「あ　レ　ほら　一面に何か咲いているわ」
「ふうん　ほんとだ……僕　これ見たことある　氷の花だよ」
「ふうん」
二人はスキーをぬいで　雪の上におりました。
氷の花は　二人の腰くらいまであって　みんな色々な炎を内にゆらめかせていました。
そしてその炎の色が　風のように　いっせいにこちらからあちらへ　変わって行ったり
こうっと　大きく燃え上がったりしました。
波のようにうずをまいたり　どこまでも深く奥へ流れて行く炎もありました。
二人は耳をそばだて　黙ってまわりを見渡しました。
いつのまにか　雪の上は炎の花でいっぱいでした。
その中に　二人は見つけました。
「ああ　あの人は……」

「ファおじさんだわ」

二人はファおじさんのいるところへ　駆(か)けて行きました。

「こんばんは　ファおじさん」

「こんばんは　ファおじさん」

ファおじさんは黙って　雪の上の花を見ています。

「ファおじさん　どうしてこんなにたくさん　雪　積もったの？」

レが　なんとなく　声をひそめてききました。

「これは　雪ではないよ」

ファおじさんはそう言ってパイプをふかしました。

「これ……雪じゃないの？」

レもミも驚いてききました。

「ああ　ここは　雲(くも)の上なんだよ」

ファおじさんは　オーロラのようにゆらめく火の草原(くさはら)をみつめて言いました。

「町はこの下で　まだ雪が降っている」

二人は驚いて　もう一度　淡(あわ)い光にけぶっている遠くの雪野原(ゆきのはら)を見渡しました。

「ふうん……でも　スキーですべれたよ　ファおじさん」

「それに……どうして　こんなに花が咲いているのかしら」

ファおじさんは　言いました。

「これは　花ではないんだ　ミ」

「ふうん　じゃ何?　僕　さっきから　この火が何か言っているみたいに思えるんだ」

「ええ　私も」

ファおじさんは　言いました。

「これは　みんながひとつずつ持っている火なのだよ」

「え?……」

二人はもう一度　胸(むな)もとから火をとり出してみました。

するとその火は　雲の上の火の草原と同じく　様々な色に燃え上がり　明るくなったり淡くなったりしました。

そうして　それを見つめていると　いつのまにか二人とも　自分が火の草原いっぱいに

広がって行くようでした。
なんだか二人は　自分の心の知らない奥へ
広がったように思いました。
するとそこには　他のたくさんの人々の光
といっしょになっているような気がしました。

*

目を覚ますと　レはベッドの中で　朝の光
を受けていました。
思わず　レは手のひらをみたり　胸もとを
のぞいたりしました。
（いつのまに……帰ったんだろう……）
レは起き上がって　カーテンを開けました。
家々のえんとつの上にもまるく　こまかな枝の
先までこんもりと　雪が積もっていました。
枝先の雪が一切れこぼれ落ち　空中でくだけました。

レははっと思いついて　自分のスキーをとり出してみました。
でもそれはやはり　ぬれてもしめってもいません。
（そうだ　あそこは雪の上じゃなくて　雲の上だったんだもの）
レはかすかに　ため息をつきました。

＊

その朝　レのお母さんは窓を開けようとして　ふと手を止めました。
窓ガラスにかすかな　指のあとが残っているのは　何でしょう。
息をふきかけると　もっとよく見えました。
一本の線の上にのった　スキーの男の子と女の子でした。
それはきのう　レが蒸気（じょうき）のくもりの上に描（えが）いた絵のあとでした。
お母さんは　なあんだと思って　それをきれいにふきとりました。

光る丘（1月のスケッチ3）

（あら　ファおじさんだわ……）
ラはずっと前の方を歩いている　ファおじさんの姿を見つけました。
でも　ラはちょっと首をかしげました。
（まさか……お父さんじゃ……ないわよね）
ラはちょっと足を早めました。
そして　近づくうちに　確かにその人はファおじさんだとわかりました。
するとラは　ふっとレのことを思い出しました。
（私もファおじさん　おどろかしてみようかな……）
ラはちょっと笑って　そっとファおじさんのすぐうしろへ近づきました……

*

すると　その時です。

突然　ファおじさんが　ふり返りもせずに言いました。

「ラ　今日は帰りが早いね」

ラは驚いて　一瞬　立ち止まりました。

そして　小走りにファおじさんの横に並びました。

「驚いた　どうしてわかったの？　ファおじさん」

「私をおどろかそうとしたね　レのように」

「うん……え？　どうしてレのことも　知っているの？」

「どうも　きみたちは　あぶないな」

ファおじさんは笑わずに言いました。

「ごめんなさい。でも私　ついさっきまで　おどろかしてみるつもりなんて　なかったんだけど　つい……」

ラは笑いました。

ファおじさんは　ちらっとラの方を見やりました。

「もう　学校が始まったんだね」

「ええ　今日は始業式だから　早く終わったの」

ラはふと何げなく　雪道の上に落ちた　自分の青い影を見ました。

そして　思わずにっこりしてファおじさんを見やりました。

「……私　どうしてファおじさん　さっき私の来たことに気付いたのか　わかった」

するとファおじさんは黙ってラをみて笑いました。

「せっかく黙っていようと思ったが　気づかれてしまったね」

「私　自分の影のこと　すっかり忘れてた」

ラはもう一度　にっこり笑いました。

「わかってしまうと　不思議なことも別に何でもないことさ」

「ええ　でも……わかればわかるほど　ほんとは不思議なことってたくさんある……」

ラはひとり言のように言って　ファおじさんを見ました。

ファおじさんは黙っていましたが　ひげの下では　かすかにほほえんでいるように見えました。

「……ファおじさん　今散歩の帰り?」

「うん　まあそんなところかな」

「ふうん」

二人は橋のところに来たので　立ち止まって　凍って雪のつもった川を見おろしました。

そのむこうには水平線が一部分だけ町の風景に切りとられて見えています。

「……私　この橋の上に来るといつも思うの」

「何かね?」

「……ここは　なんだか世界の入口のような気がするの。水平線をこえた遠くから船がたくさんやって来るからだけじゃなくて……あの水平線を見ていると　私たちの世界とはちがった別の世界の端がみえているような気がして……」

ファおじさんも黙って　小さな水平線を見ていました。

ラは思い出したように　言いました。

「ね……ファおじさんも……ときどき　ふっと　何かこわくなるようなことある?」

ファおじさんは　ゆっくりとラを見やりました。

ラは水平線から目をはなしませんでした。

「ラは　何を　そう思う?」

「うん……」

ラは川の雪を見おろしました。

暮れるのがはやい夕日が　橋と二人の影を遠くに落としていました。

「……私　外の世界だけじゃなくて　自分の中にも　恐しいものや　みにくいものがみえるの……」

ラもみつめていました。

ファおじさんは黙って　水平線をみやりました。

「……あの水平線に行けたらなあって　いつも思う……」

ファおじさんは　やはり黙っていました。

それからファおじさんは　ふと　ひとり言のように言いました。

「……自分の中に　恐ろしいものもみにくいものも　すべてなくなったらいいだろうね」

ラはうなづいて　ひとり言のようにつぶやきました。

「でも　そういうものをなくそうとすればするほど　あとからあとから　現われる……」

ラは黙りました。

ファおじさんは　やはりひとり言のように言いました。

「……もし　ラの中にそういうものがすっかり消えてなくなったとしたら……ラはもう美しいものも善いものも　何も感じられなくなってしまうよ」

「え?……」

ラは不思議そうにファおじさんをみました。

「何故(なぜ)？」

「……もしすべてが　美しいものと善いものだけだと　いいだろうね」

「ええ……」

「でもそうなったら　誰(だれ)ひとり　美しいものも善いものも　知ることがないだろう」

「え？……どうしてかしら……」

「もし光が　全く少しの影もつくらないとしたら　誰もそこに光のあることすらわからない」

「……」

「ラ　私たちは何故　光だけの世界から　光と影に分かれたこの世界に旅(たび)して来たのだろう？」

ラは黙って　ファおじさんを見つめました。

ファおじさんは　また歩き出しました。

そして自分のアパートのある　丘の小道(こみち)へ曲(ま)がって行きました。

ラは道がちがうので　立ち止まって　ファおじさんのうしろ姿を見つめていました。

それから　ふっと我(われ)に返って　大声で呼びかけました。

「さよなら……ファおじさん」

まわりにいた人が驚いてラを見て　ラは思わずちょっと赤くなりました。

いつのまにか　ファおじさんの行く手の丘だけが　夕日につつまれて　あたたかそうに光っていました。

すると　ふっとラは　ファおじさんの言った〝何故か〟が　かすかにわかるような気がしました。

いわた　みちお

1956 年網走市に生まれる。
北海道大学理学部入学、卒業目前に中退。以後、創作に専念し絵画や詩、童話を制作する。童話は佐藤さとる氏に師事。同人誌『鬼が島通信』に投稿するかたわら、童話と散文集『雲の教室』と詩集『ミクロコスモス・ノアの動物たち』を出版。
拠点を旭川に移し、旭川の自然を中心に描く。1992 年童話集『雲の教室』（国土社）で日本児童文芸家協会新人賞を受賞。
1996 年旭川の嵐山をテーマにした詩画集『チノミシリ』出版。
2014 年 7 月心臓発作のため、数多くの作品を残したまま急逝。
新刊に『イーム・ノームと森の仲間たち』、ふくふく絵本シリーズ（未知谷）がある。

ファおじさん物語(ものがたり)
秋と冬

2020年3月12日初版印刷
2020年3月25日初版発行

著者　岩田道夫
発行者　飯島徹
発行所　未知谷
東京都千代田区神田猿楽町 2-5-9　〒101-0064
Tel. 03-5281-3751 / Fax. 03-5281-3752
[振替]　00130-4-653627

組版　柏木薫
印刷所　ディグ
製本所　難波製本

Publisher Michitani Co, Ltd., Tokyo
Printed in Japan
ISBN 978-4-89642-604-5　C0095

湖へ
駅
レとミの小学校
ラの中学校
川ぞいの公園
の中心
ファおじさんのアパート
ルの住む丘の林